DU MÊME AUTEUR

Aux Éditions Gallimard

LES BIENVEILLANTES, 2006 (Folio nº 4685).

LE SEC ET L'HUMIDE, 2008 (L'arbalète Gallimard).

TCHÉTCHÉNIE, AN III, 2009 (Folio Documents nº 50).

TRIPTYQUE. TROIS ÉTUDES SUR FRANCIS BACON, 2011 (L'arbalète Gallimard).

Aux Éditions Fata Morgana

ÉTUDES, 2007.

RÉCIT SUR RIEN, 2009.

EN PIÈCES, 2010.

UNE VIEILLE HISTOIRE, 2012.

CARNETS DE HOMS

JONATHAN LITTELL

CARNETS DE HOMS

16 janvier – 2 février 2012

GALLIMARD

*Ceci est un document, pas un écrit. Il s'agit de la trans-
cription, la plus fidèle possible, de deux carnets de notes que
j'ai tenus lors d'un voyage clandestin en Syrie, en janvier
de cette année. Ces carnets devaient au départ servir de base
pour les articles que j'ai rédigés en rentrant. Mais peu à
peu, entre les longues périodes d'attente ou de désœuvre-
ment, les plages de temps ménagées, lors des conversations,
par la traduction, et une certaine fébrilité qui tend à vouloir
transformer dans l'instant le vécu en texte, ils ont pris de
l'ampleur. C'est ce qui rend possible leur publication. Ce
qui la justifie est tout autre : le fait qu'ils rendent compte
d'un moment bref et déjà disparu, quasiment sans témoins
extérieurs, les derniers jours du soulèvement d'une partie
de la ville de Homs contre le régime de Bachar al-Assad,
juste avant qu'il ne soit écrasé dans un bain de sang qui, au
moment où j'écris ces lignes, dure encore.*

*J'aurais aimé présenter ce texte sous sa forme brute, tel
quel. Mais certains passages, à cause des conditions de
rédaction, étaient trop confus ou fragmentaires et ont dû être
réécrits. Ailleurs, la mémoire a été tentée de suppléer à
l'inattention. Mais à part des notes, et des précisions ou des*

9

commentaires nécessaires, mis en italiques, j'ai essayé de ne rien ajouter.

Le gouvernement syrien, on le sait, a presque entièrement interdit aux journalistes étrangers de travailler sur son territoire. Les rares professionnels qui obtiennent un visa de presse sont soigneusement encadrés et surveillés, limités dans leurs mouvements et leurs possibilités de rencontrer des Syriens ordinaires, et sujets à toutes sortes de manipulations ou de provocations — parfois meurtrières, comme celle qui a coûté la vie au reporter français Gilles Jacquier. Certains ont pu travailler hors de ce cadre, soit en entrant avec un visa de tourisme puis en « s'échappant » du dispositif de surveillance, soit en passant la frontière illégalement, avec le soutien de l'Armée syrienne libre, comme je l'ai fait en compagnie du photographe Mani. Ici aussi, comme on a pu le constater ces dernières semaines, les risques ne sont pas négligeables.

J'ai eu l'idée de ce reportage en décembre 2011, après le retour de Homs de mon amie Manon Loizeau, qui venait d'y tourner un film documentaire. J'en ai parlé aux responsables du journal Le Monde, *qui ont accepté le projet puis m'ont proposé de travailler en équipe avec Mani. Celui-ci avait déjà passé plus d'un mois en Syrie, en octobre et novembre 2011, et avait publié une première série de photographies, inédites pour l'époque. Si nous avons pu entrer en Syrie rapidement et avec une relative facilité, et travailler à Homs aussi librement que nous l'avons fait, c'est bien grâce à ses contacts et à sa connaissance préalable du terrain. Devant la quasi-impossibilité de trouver un traducteur sur place, Mani, qui est parfaitement arabophone, a aussi traduit pour moi la majorité des conversations. Notre* reportage, texte et photos, a été publié dans Le Monde en cinq parties, du 14 au 18 février.

Mani, bien sûr, apparaît régulièrement dans ces carnets. À cause de la situation de clandestinité, nous avions tous deux adopté des « noms de guerre » (le mien était Abu Emir), et je garde ici le sien, Raed. De la même manière, la plupart de nos interlocuteurs syriens apparaissent sous pseudonyme, soit celui qu'ils se sont eux-mêmes choisi, soit un de mon invention. Ceux qui figurent sous leur vrai nom l'ont expressément autorisé. Je ne publie pas, par ailleurs, les noms des gens que j'ai vus blessés ou tués, par crainte de possibles représailles contre eux ou leur famille survivante.

Ce reportage n'aurait pas été possible sans la confiance et le soutien que m'a accordés Le Monde. Je souhaiterais remercier tous ceux au journal qui ont participé au projet, et en particulier Serge Michel, directeur adjoint des rédactions, et Gilles Paris, chef du service international. Enfin, je voudrais exprimer toute ma gratitude et mon admiration pour les nombreux Syriens, militants civils et combattants de l'Armée libre, qui nous ont apporté leur aide, spontanément et souvent au risque de leur vie.

Lundi 16 janvier

Je suis arrivé à Beyrouth le vendredi 13 janvier. Mani m'y a rejoint le 14 et a tout de suite commencé à téléphoner à ses contacts syriens pour arranger notre passage. Abu Brahim, un dignitaire religieux du quartier de Bayada, à Homs, chez qui Mani avait séjourné en novembre, a demandé à ses contacts au sein de l'Armée syrienne libre (ASL) de nous organiser une filière. Le lundi 16, vers 17 h, Mani — dorénavant appelé Raed — recevait un coup de fil nous enjoignant de venir à Tripoli le soir même.

22 h 30. Arrivée à Tripoli sous la pluie [1]. Récupérés à l'endroit convenu par trois solides gaillards, puis amenés à un appartement tout proche. Escalier sans lumière, des fils électriques nus sortent des murs. Appartement glacial, mais vaste et beau, avec des sols en pierre, des tableaux et des calligraphies arabes aux murs, des meubles dorés en velours, un grand chandelier en verre. D., un jeune activiste sorti de Homs il y a une semaine, chatte sur Skype, son ordinateur portable posé sur une table basse. « C'est un appartement de

---

1. On trouvera en appendice une carte de la région frontalière entre Tripoli et Homs, ainsi qu'un plan de la ville de Homs et de ses principaux quartiers.

célibataires, désolé!» Une télévision, perchée sur un meuble, est allumée sur le canal «Peuple de Syrie», une chaîne de l'opposition basée en Grande-Bretagne.

D. nous parle immédiatement de Jacquier. «Le régime a délibérément assassiné Gilles Jacquier pour dissuader les journalistes de venir. Il a été tué dans Akrama, un quartier alaouite prorégime, à al-Jadida, devant le supermarché al-Butul. Les fausses informations sur le lieu de l'attaque ont été diffusées par le régime et un journaliste traître.» Il parle de Mohammed Ballout, du service arabe de la BBC, un Libanais, membre du Parti nationaliste social syrien. La BBC se serait excusée.

Gilles Jacquier, reporter à France 2, a été tué à Homs le 11 janvier dans un bombardement, au cours d'un voyage de presse organisé et encadré par les autorités syriennes. Le gouvernement syrien et l'opposition s'accusent mutuellement de sa mort. Durant notre séjour en Syrie, bon nombre de nos interlocuteurs nous parleront de la mort de Jacquier, et tenteront de nous convaincre, sans jamais avancer de preuves matérielles, de la culpabilité du régime.

Des hommes arrivent. Le leader, A., notre passeur, est un gars barbu, trapu, souriant, en survêtement noir, deux portables à la main.

D. continue à parler de Jacquier. Les opposants le considèrent comme un *shahid*[1], comme toutes les autres victimes du régime. La journée de jeudi dernier a été baptisée «Jour de fidélité à Gilles Jacquier» sur la page Facebook de la révolution; tous les jours reçoivent un nom, pas seulement

---

1. Martyr.

les vendredis. D. fait son éloge : « Il est venu témoigner du martyre du peuple syrien. » Les comités de coordination révolutionnaires collectionnent les preuves que Gilles Jacquier a été tué par le régime. Il cite, en vrac : les *shabbiha* [1] qui sévissent à Homs viennent d'Akrama et des quartiers voisins ; très difficile pour des gens de l'opposition d'entrer dans ces quartiers. L'université, à l'ouest, est une zone militaire. Enfin, la télévision syrienne a parlé de tirs de mortier : D. affirme que l'ASL n'a pas de mortiers, ni d'armes lourdes de ce type. C'est une des premières choses dont il parle, et il insiste beaucoup là-dessus. Le passeur intervient et on discute des modèles de mortier ; pour lui, un mortier de 60 mm, qui pèse 90 kg, est trop lourd à porter pour un soldat. Je ne suis pas d'accord et on pinaille sur les détails.

Dîner : un repas copieux, acheté à emporter chez un traiteur, poulet, houmous, falafels, salade. Le surnom du passeur est al-Ghadab, « La Colère ». « On m'appelle comme ça depuis le début de la révolution, alors que je ris tout le temps ! » Ses deux amis sont des Libanais, des contrebandiers qui nous feront passer les checkpoints de la sécurité libanaise demain. Puis La Colère, qui est de Homs, nous emmènera jusqu'à la ville. Il y a quatre étapes, ça prendra un jour, un jour et demi. Voiture jusqu'à la frontière, puis quelques kilomètres en moto, puis de nouveau voiture.

---

1. Nervis prorégime, souvent des alaouites. Le terme, dans les années 90, désignait des mafias alaouites qui sévissaient sur la côte syrienne, avec la protection des autorités, avant que Bachar al-Assad ne les fasse dissoudre à son arrivée au pouvoir en 2000. Le terme a été attribué aux civils recrutés par le régime, dès le début des événements, pour participer à la répression.

Manon Loizeau m'avait expliqué qu'elle avait dû franchir un champ de mines pour passer en Syrie. J'interroge La Colère à ce sujet.

En principe, on ne devrait pas passer par les mines. Il y a d'autres façons de traverser, qui fonctionnent bien, sauf en cas d'imprévu. La Colère, lui, n'a dû passer par les mines qu'une seule fois. Mais, même si on est obligé, ce n'est pas un problème : l'ASL a déminé un corridor de trois mètres de large au milieu de la zone minée, deux semaines après que l'armée les a posées, il y a deux mois. Un gars y a laissé ses jambes. Les hommes rigolent : «Boum!», et font un geste imitant les ailes d'un ange, les deux mains aux épaules. Le corridor est marqué avec des pierres, et il est utilisé régulièrement par des contrebandiers. La Colère : «S'il faut le traverser, j'irai devant vous. Vos vies sont plus importantes que la mienne.» Grandiloquent mais sincère.

Mardi 17 janvier

TRIPOLI – FRONTIÈRE – AL-QUSAYR

5 h 30. Appel du muezzin. Très beau, massivement amplifié, coupe à travers la nuit.

6 h 50. Réveil. *Bleary grey morning.* Dans le salon, les deux passeurs libanais attendent en silence.

7 h 30. Départ. Minivan blanc, comme un petit bus, avec un écran vidéo. Un des Libanais conduit. Musique à fond et vidéo. On se faufile à travers la circulation de Tripoli sous une pluie diluvienne. Puis faubourgs, usines. Il faudra faire un long détour, la neige bloque les cols. Il y a aussi deux checkpoints de l'armée libanaise qu'il faut éviter. La route la plus courte, normalement, est celle du nord.

Passage des monts Liban, route tortueuse, paysage pelé, petits nuages agrippés aux crêtes, une neige molle qui fond sur le véhicule. Checkpoint passé sans s'arrêter. À un moment on prend un soldat en stop, je suis couché, j'ouvre un œil puis me rendors. On laisse le soldat dans une bourgade chiite grouillant de militaires. On me réveille sur un long chemin de terre au milieu d'une plaine désertique, avec les monts Liban tout ennuagés d'un côté et un village niché au pied de petits monts de l'autre. La Syrie est devant nous. On croise des cultivateurs, des moutons. Enfin, après quelques kilomètres cahoteux, on rejoint une route, ayant contourné le poste frontière de la sécurité libanaise. De l'argent change de mains : La Colère donne 700 dollars au Libanais, pour nous peut-être, puis encore 1 000 dollars, pour des achats semble-t-il — peut-être pour faire passer des mortiers ? Sur la route, une mosquée Hezbollah, on est près d'un bled chiite ; comme dans la Bekaa, ce coin est une mosaïque confessionnelle.

La Colère : « La plupart des villageois sunnites soutiennent le soulèvement, avec des exceptions ; pour les chiites, c'est le contraire. » Sur la route, on rejoint trois jeunes gars avec deux motos pourries, des vieilles bécanes chinoises ; ce sont des cultivateurs du coin, aux mains calleuses. On salue les amis libanais, monte à trois sur chaque moto, et commence à naviguer entre les maisons et les champs par des chemins de terre. Enfants mal habillés et morveux, moutons, ruches, un garçon qui galope à cheval. Quelques kilomètres puis on arrive à une maison, au-delà déjà de la frontière. On est passés entre un poste des forces spéciales libanaises et un poste de l'armée syrienne. Mais la frontière est un concept en profondeur, pas une ligne.

La « frontière » n'est pas limitée au tracé de la carte, mais existe sur des dizaines de kilomètres encore, grâce à un système de barrages fixes et mobiles. Par contre, pour les gens qui habitent ce genre de village à cheval sur la ligne, elle n'existe pas vraiment, ou alors seulement comme un concept économique permettant de réaliser des affaires en circulant d'un côté et de l'autre.

Maintenant on est chez des gens, des cultivateurs avec leurs familles. Café, les pères caressent leurs fils. Un appel radio, tout est prêt, on y va. Passage. Quelques centaines de mètres plus loin, une autre maison où on est introduits dans la pièce des invités. SMS sur le portable de Raed : «MINISTRY OF TOURISM WELCOMES YOU IN SYRIA. PLEASE CALL 137 FOR TOURISM INFORMATION OR COMPLAINTS [1].» *Welcome to Wonderland*. Il est midi pile.

Maison riche, beau salon avec tapis et banquettes aux motifs floraux, en tissu synthétique. Grand poêle à mazout, *sobia* en syrien, lampe à gaz. Repas copieux servi par des garçons sur un plateau. Pas de femmes visibles. Notre hôte nous explique l'organisation ASL du secteur : les unités de Qusayr font partie de la *katiba* [2] al-Faruk de Baba Amr, commandée par Abderrazzak Tlass, un *mulazim awwal* [3], le premier officier à avoir fait défection de l'armée.

Nous savons déjà que pour entrer dans Homs nous devrons sans doute passer par Baba Amr, un quartier du sud-ouest de la ville entièrement contrôlé par l'ASL. Abu Brahim, qui a organisé notre passage, habite lui à Bayada, au nord de la ville. Nous posons donc des questions sur la situation à Baba Amr et dans la zone de la frontière.

Notre hôte : Baba Amr est un bastion ASL parce que c'est un grand quartier, et il donne sur les vergers au-dessus de l'Oronte. Il est encerclé, mais l'armée n'y pénètre pas. Il y a des unités ASL dans d'autres quartiers, Khaldiye, Bayada,

1. «Le ministère du Tourisme vous souhaite la bienvenue en Syrie. Veuillez composer le 137 pour toute information touristique ou réclamation.»
2. Bataillon.
3. Lieutenant.

etc., mais plus réduites car ces quartiers sont plus petits et plus facilement contrôlables par les forces de sécurité.

Il n'y a pas de manifestations dans les villages frontaliers. Ils veulent garder le calme pour ne pas attirer les *mukhabarat*[1] et risquer de perturber le trafic. Plus loin, vers Qusayr, l'ASL a des unités et attaque l'armée et les forces de sécurité.

Il y a déjà eu deux descentes de l'armée avec les *mukhabarat* dans le village. Ils ont fouillé des maisons pour localiser des personnes recherchées. Ils n'ont rien trouvé, et sont repartis sans faire de problèmes. Ici, ils sont passés à la porte et ont posé des questions, mais ils ne sont pas entrés.

Moi : «Tu n'as pas peur pour tes enfants?» Lui : «Je n'ai peur que de Dieu.» Il a confiance en ses mômes, qui écoutent notre conversation. «Ils savent se taire.»

Les femmes participent aussi : soins médicaux de première urgence, aide au passage des blessés, etc.

Lui : «On vit dans l'oppression depuis longtemps. C'est un système sécuritaire où personne n'a confiance en personne.» En tant que sunnite, il se sent discriminé. Les bons postes sont réservés aux alaouites. «Il n'y a pas de justice, on ne peut pas réclamer. Les personnes arrêtées disparaissent, on n'a pas accès à elles, on n'a aucune nouvelle.» Son fils voulait intégrer la police, et a essayé

---

1. «Renseignements». Ce terme, comme celui de «forces de sécurité», est utilisé de manière générique, en Syrie, pour désigner quatre services différents : *Shubat al-Mukhabarat al-Askariyya*, le Département des renseignements militaires ; *Idarat al-Amn al-Amm*, la Direction de la sécurité générale, souvent encore appelée par son vieux nom, sécurité d'État ; *Idarat al-Amn al-Siyasi*, la Direction de la sécurité politique ; et *Idarat al-Mukhabarat al-Jawiyya*, la Direction des renseignements de l'aviation, le service le plus puissant et le plus redouté de tous.

pendant trois ans, sans succès. Il pense que c'est parce qu'il est sunnite.

Au début, ils voulaient seulement des réformes, plus de liberté. Puis, face à la répression, ça s'est durci.

———

Départ, vers 13 h. La Colère arrive avec un pick-up et on se tasse à trois devant. Coup de fil de Baba Amr : des types énervés disent qu'on ne peut pas entrer, qu'ils ne peuvent pas recevoir de journalistes, que le passeur doit nous ramener au Liban. Raed appelle ses contacts et ça se décante peu à peu. On part.

La réticence de certains militants de l'opposition à Baba Amr à accueillir de nouveaux journalistes était très forte durant cette période, même si cela a entièrement changé par la suite, avec le début des bombardements massifs du quartier. Ce sera une source de friction constante lors de notre séjour à Baba Amr.

Région mixte, villages de différentes confessions. On entre dans une zone agricole contrôlée par l'ASL. On croise un commandant dans un pick-up, puis un checkpoint avec un soldat, puis, sur un pont, un checkpoint plus important. Norias de minibus et de petits pick-up, allant et venant du Liban, des contrebandiers. Le checkpoint les contrôle, laisse passer. Autre chemin, nouveau coup de fil avec Homs. Un môme braille dans la VHF [1], le fils d'un soldat qui joue. La Colère, en plus de la VHF, a une grenade à côté du volant. Si on tombe sur un barrage volant, il ne s'arrêtera pas.

On quitte la route pour un chemin de terre : on approche d'un des checkpoints qui entourent Qusayr. On le contourne

———

1. Petite radio portable, appelée aussi « talkie-walkie ».

21

par des chemins puis des terrains vagues habités par des Bédouins installés dans des tentes militaires. Par une petite route, on passe à trois cents mètres du checkpoint, que La Colère me montre en riant. On entre dans Qusayr, ville de soixante-dix mille habitants, maisons de deux étages en béton effrité, peintes de couleurs pastel fanées. Pluie, piétons, motards. On zigzague par des ruelles avant d'arriver chez le passeur. Il est 14 h, on a mis six heures et demie depuis Tripoli.

En fait, on n'est pas chez La Colère mais chez un ami à lui, Abu Amar. Petite pièce d'hôte, un ordinateur avec une imprimante, le poêle à mazout. Il y a plusieurs personnes, on nous sert du thé et des gâteaux. Un type débarque avec une kalach ; ce quartier est « libre ». Un haut-parleur de mosquée entre en action : on enterre un martyr après la prière de l'après-midi, annonce l'imam. Ce matin ils en ont déjà enterré deux. Les trois ont été tués ensemble à Homs. Discussion pour savoir si on pourrait y aller. Eux ne veulent pas parce que les funérailles peuvent dégénérer en manifestation et l'armée peut tirer ; aussi, ils ont peur de se faire repérer avec nous.

Renseignements pris, le mort est déjà enterré. Il s'appelait Ahmed I., cinquante ans passés. La famille enterre parfois avant l'annonce de l'imam, pour éviter des troubles.

Les trois hommes ont été tués ensemble, à Homs, dans le quartier Chemmas, un quartier prorégime. Un groupe de *shabbiha* est entré dans le supermarché du complexe Sakan el-Shabbab, où ils travaillaient, et les ont exécutés, simplement parce qu'ils venaient de Qusayr. Les deux autres avaient entre vingt-cinq et trente ans, et s'appelaient Rasul I. et Mohammed H. Rasul est parent d'Ahmed.

Quelques tirs au loin. Des tirs dissuasifs, en anticipation de la manifestation?

———————

L'hôpital public de Qusayr, proche du cimetière, est occupé par les forces de sécurité. Il y a des snipers sur le toit.

Visite d'un poste de soins clandestin, installé dans une maison. Matériel basique, seringues, solutions salines, compresses. Le matériel est offert par des familles, des pharmacies. Plastique par terre sur le tapis, pour le sang?

Le médecin qui s'en occupait, Abdur Rahim Amir, a été tué à Rastan il y a deux mois. Il a été coincé dans un centre de santé par les *mukhabarat* militaires et exécuté. Des infirmiers ont été arrêtés. Ici, il reste un médecin et un infirmier. C'est le seul centre en ville; il y en a un autre à douze kilomètres, au-delà de la rivière, dans une tente.

Premiers soins seulement. Des gens meurent ici de blessures basiques, d'hémorragies. Ils essayent d'évacuer les blessés graves au Liban, mais c'est difficile. Ils reçoivent un ou deux blessés par jour, blessés lors des manifestations, ou le soir par balles. Il y a un couvre-feu officieux et les snipers tirent sur les gens la nuit. Blessures surtout aux parties supérieures, thorax, tête. Aussi des gens sortis de prison, torturés, les os brisés.

———————

Centre du quartier. Des jeunes s'assemblent pour la manifestation. Drapeau de la révolution, noir, blanc et vert, avec trois étoiles rouges. Un ou deux gars à kalach servent de guetteurs. Le quartier est protégé par l'ASL. L'armée n'y entre pas, mais tire depuis l'hôpital et la mairie.

Armée syrienne libre : *al-Jaych as-Suri al-Hurr.*

Armée régulière : *al-Jaych al-Assadi,* l'« armée des Assads ».

On passe près de la mairie. Gros bâtiment de style soviétique, à quatre étages, avec des fenêtres réfléchissantes bleutées toutes fracassées. L'ASL a essayé de l'attaquer mais n'a pas réussi, c'était trop fortifié. Les RPG [1] ne servaient à rien et ils ne voulaient pas utiliser de mortiers car la mairie est entourée de maisons de civils. Sur le toit et aux étages, des nids de snipers. On revient vers la mairie par une longue rue, droit vers le bâtiment. En principe les snipers ne tirent que le soir. Là, tout est calme.

Plus loin, un jardin qui sert de cimetière pour les *shahids*. Les enterrements dans le cimetière normal devenaient trop dangereux, l'armée tirait régulièrement sur les manifestations qui se formaient.

————

16 h. Un vieux meurt de sa belle mort et va être enterré assez rapidement. Souvent les jeunes (*shabbab*) utilisent le moindre prétexte pour une manifestation, et même si le vieux n'est pas un *shahid* son enterrement pourrait en être un. Mais comme ce n'est pas un *shahid* ça va être au cimetière normal. Donc il pourrait y avoir des tirs.

On tourne dans la ville, accompagnés d'un gars à moto. On passe de nouveau juste à côté de la mairie, à deux cents

1. *Routchnoï protivotankovy granatamiot,* « lance-grenades antichar portable ». Une arme de conception soviétique, très courante de nos jours, et très prisée par les guérillas du monde entier ; sorte de bazooka, qui tire une roquette avec une charge creuse simple.

mètres d'un gros poste de l'armée, au coin du bâtiment. Dans la rue du souk, toutes les échoppes sont fermées ; on rencontre un ex-médecin de l'hôpital qui a démissionné il y a trois mois quand l'armée a occupé la structure et a envoyé les médecins et le personnel vers un autre bâtiment, inadéquat. Il affirme que depuis le début des troubles, en août, il y a eu cent vingt morts à Qusayr. Notre ami La Colère nous montre une vidéo sur son portable : le premier *shahid* de Qusayr, en août, le 11 de ramadan, nu à part un slip souillé, le corps criblé de balles, la jambe explosée, une boucherie.

On rejoint l'enterrement, mais il n'y aura pas de manifestation. On est présentés à des coordinateurs civils de Qusayr. On papote, les gars blaguent, rient, un rire très profond, nourri de tout ce qui se passe. Un désespoir joyeux, peut-être.

———

18 h 30. Magnifique plat de riz, viande, poulet, amandes grillées, *kapsi* servi avec du *labneh*. Discussion politique. L'objectif principal de notre hôte, Abu Amar : «Je veux un État civil.» — «C'est quoi pour toi ?» — «Un État où l'armée et les services de sécurité ne peuvent pas se mêler de la vie des gens. Ici, même pour se marier il faut une permission des *mukhabarat*. Un État où tout le monde a la liberté de religion, comme il veut. Moi, je me suis laissé pousser la barbe, j'ai eu des ennuis pour ça. Si on se réunit à plus de cinq, c'est interdit, on peut être arrêtés. C'est pareil pour les chrétiens, eux aussi peuvent être arrêtés s'ils se réunissent à plus de cinq.» La Colère : «Des chrétiens salafistes !» Ils rêvent moins de démocratie, concept sans doute très vague pour eux, que d'un État de droit.

19 h. Manifestation dans la rue, devant la mosquée du quartier, sécurisée par l'ASL et éclairée par des spots. Trois cents personnes? Il y en a une tous les jours. Drapeaux de l'opposition, tambours, chants et danse, tout ça très beau et joyeux. Les hommes dansent en longues files en se tenant les épaules. Slogans: «Bachar, on ne sait pas qui tu es, musulman ou juif!», «Bachar, tu as un cou de girafe!»

Un gars de l'information[1] filme depuis le toit de la mosquée. Sur un côté, des femmes et des enfants regardent, chantent aussi. Mais seuls les hommes manifestent.

Je monte sur le toit rejoindre le type de l'information. Il s'appelle M. et parle un peu anglais. Il me montre une vidéo d'un cadavre. Un des morts du supermarché de Homs, peut-être? Ce n'est pas clair pour moi et l'anglais de M. ne suffit pas. Le mort est un homme d'environ quarante, cinquante ans, avec une moustache, une balle dans le pied, et le bras coupé au couteau. Le bras, si je comprends bien, a été coupé de son vivant, il a été tué après. Dans le film, le père du mort pleure.

M.: «La manifestation est un *zikr*[2].» Mais il y a aussi des chrétiens. Il m'en présente un, un homme de trente-quatre ans, pro-opposition. Ce dernier me montre fièrement la croix qu'il porte au cou. Il est recherché et ne peut plus dormir

---

1. Les activistes chargés de l'information appartiennent aux comités de coordination locaux, organes de coordination des activistes révolutionnaires. Ils sont chargés de filmer chaque manifestation, avec un panneau montrant le lieu et la date, pour contrer la propagande du régime qui cherche à minimiser l'ampleur du soulèvement. Ils filment aussi les bombardements, les blessés, les morts et les autres formes d'exactions.

2. Cérémonie mystique des soufis, qui prend souvent la forme de danses extatiques.

chez lui. Aux funérailles des trois hommes tués à Homs, il y avait une cinquantaine de chrétiens, me dit-on.

M. insiste sur l'unité interconfessionnelle des Syriens, le chrétien aussi. «Ça fait plus de cent ans qu'on vit ensemble. C'est Bachar, quand il est venu au pouvoir, qui a fait des problèmes entre nous. Pour que la France et les autres pays disent : Il faut protéger les chrétiens.»

M. encore : «*This country is for everyone, and God is for us*[1].»

Slogans : «Bachar, va-t'en, toi et tes chiens!», «Bachar, c'est nous qui sommes de Syrie, pas toi!» La danse en lignes adopte bien la forme du *zikr*, mais il n'y a aucun contenu religieux. Manifestation très joyeuse en tout cas.

Mieux vaut ne pas sortir le carnet dans la rue. Les gens deviennent tout de suite paranoïaques.

———

20 h 15. Sortie de nuit dans une ferme hors de Qusayr, dans la campagne, pour rencontrer un officier. Un jeune gars souriant nous accueille dans la pièce des invités ; il a dix-sept ans, et donne un coup de main à l'ASL, mais ne participe pas aux actions.

Le garçon compte des balles pendant qu'on attend. Du 9 mm, et des munitions dans des caisses israéliennes, deux cents cartouches de 7,62 mm en ceinture pour les mitrailleuses, avec une traçante tous les cinq coups.

Tirs dans la nuit, la *dochka* d'un BTR[2] à côté de l'hôpital. Quelques rafales.

---

1. «Ce pays est pour tous, et Dieu est pour nous.»
2. *Bronetransportior*, «Transport [de troupes] blindé», un véhicule mili-

Raed parle avec La Colère du passage de la frontière. La Colère explique qu'il a pris le minivan des Libanais à cause de nous. D'habitude il prend le bus. Ça leur a coûté plusieurs centaines de dollars. Mais il refuse qu'on paye.

Discussion sur les prix des armes. La Colère : un RPG coûte 2 500 dollars (transport compris) ; une roquette, 650 dollars. Une kalachnikov, une *rusi* comme ils appellent ça ici, 1 800 dollars. Un mortier 60 mm, 4 500 dollars, un obus de mortier 60 mm, 150 dollars. Un mortier 80 mm 7 500 dollars.

L'ASL récupère une bonne partie de ses munitions durant des attaques. Ils ont peu d'argent. Parfois, des soldats sympathisants de l'armée régulière leur en donnent. Parfois l'ASL leur en achète, mais c'est rare.

La Colère pense que le régime ne tombera pas de manière pacifique. Il faudra le renverser par la force. Le nombre de déserteurs augmente. Il estime à dix mille le nombre de déserteurs dans la zone de Homs.

La Colère est recherché. L'ASL a acheté des listes des *mukhabarat*, son nom est dessus. Il a vingt-huit ans. Avant il était menuisier. En 2010, il a fait le petit hajj, et me montre les visas jordanien et saoudien dans son passeport. Il était célibataire et allait se marier juste avant le début des événements. Il avait le choix : la révolution ou le mariage. Main-

---

taire de fabrication russe avec huit roues et une tourelle généralement armée d'une mitrailleuse 14,5 mm. En argot militaire russe, la *douchka* (« petite âme ») désigne la *Degtiariova-Chpagina Kroupnokaliberny* ou DChK (d'où le surnom), une mitrailleuse 12,7 mm. Mais il est fort possible que les Syriens utilisent le même nom, prononcé à leur manière, pour la 14,5 mm.

tenant, il est tout le temps en déplacement. Il ne fait pas ça pour l'argent (sa famille est aisée), il n'est pas contrebandier. Il fait passer pour l'ASL journalistes, blessés, matériel médical, etc.

Au début, il ne faisait que manifester, mais au bout du quatrième mois il en a eu marre de voir les manifestants se faire tuer. Il a commencé à faire le passeur en juillet, au moment où un des premiers officiers supérieurs, le *muqaddam* [1] Hussein Harmush, a fait défection pour former les premières *katibas* de l'ASL.

Hussein Harmush, réfugié en Turquie, y a été enlevé en août, et a réapparu à la télévision syrienne où il s'est livré à l'exercice des aveux : il recevait de l'argent de l'étranger, etc. Il aurait selon certaines sources été exécuté par les services de renseignements de l'aviation fin janvier, lorsque l'ASL a demandé de l'échanger contre de supposés agents iraniens capturés à Homs.

On boit du maté, importé d'Argentine. C'est très courant ici. L'officier ne vient pas et enfin on rentre à Qusayr passer la nuit chez Abu Amar.

---

1. Lieutenant-colonel.

Mercredi 18 janvier

Au moment où nous allons nous coucher, La Colère ou bien notre hôte, je ne me souviens plus, nous explique que l'ASL prévoit cette nuit d'attaquer des positions de l'armée ; la riposte sera sans doute violente, bombardement de la ville et peut-être une incursion et des fouilles porte à porte : on doit se tenir prêts à déguerpir en vitesse, à n'importe quelle heure.

Nuit finalement tranquille, à part des rafales de kalach tirées des postes autour de l'hôpital, en l'air et sur les maisons voisines semble-t-il, pour intimider les gens. L'attaque prévue n'a pas eu lieu, ni notre évacuation anticipée, nous avons pu dormir toute la nuit. Vers 3 h ou 4 h, l'électricité est revenue, et tous les néons avec. Seul réveillé, c'est moi qui les ai éteints.

Rêves lourds, très élaborés, je rencontre timidement Michel Foucault, pas en pleine forme mais toujours vivant, et tente d'organiser un déjeuner avec lui. Les rues, dans les failles du bitume, sont pleines de pièces de monnaie, même de 2 euros. À la fac, j'ai piscine, mais ne sais pas si je parviens à y aller.

[*Discussion avec des visiteurs.*] Autour de Qusayr, il y a quatre ou cinq jours, les BMP[1] et BTR ont été remplacés par des T-62 et T-72[2]. Ils ne sont pas très visibles, plus ou moins cachés, à cause de l'accord avec la Ligue arabe, mais ils sont là. L'ASL pense que c'est en prévision d'un assaut. Un homme : « Les gens ont très peur, ils craignent l'armée. » Pour lui, la présence de l'ASL rend possible notre visite, les manifestations, les enterrements. Avant, les forces de sécurité patrouillaient, entraient dans les maisons, arrêtaient les gens.

La Colère dit : les groupes à Homs ne veulent plus de journalistes et se sont entendus là-dessus. On sera le dernier groupe, après, *khalas*, fini. Il ne sait pas vraiment pourquoi : prévision d'une grosse attaque, mort de Gilles Jacquier ?

Pour La Colère, m'explique Raed, on est en *amana*, terme qu'on peut traduire plus ou moins par « dépôt » ; il est responsable de nous jusqu'à Homs.

Notre hôte, hier, a envoyé sa femme chez ses parents avec ses enfants. « Pour ne pas vous déranger, pour qu'on soit à l'aise. » De toute façon, les femmes sont invisibles. Un monde d'hommes. De temps en temps, on voit une femme dans la rue, voilée mais visage découvert. Hier La Colère, dans la voiture, parlait avec la mère d'un martyr, et avec la femme de D., le garçon de Tripoli. À la manifestation quelques femmes se tenaient sur le côté, en groupe, près d'une porte, chantant aussi mais à l'écart des hommes.

---

1. *Boïevaïa Machina Pekhoty*, « Véhicule de combat d'infanterie », un blindé léger de conception soviétique, amphibie et à chenilles, armé d'un canon de 30 mm.
2. Chars lourds de conception soviétique.

Arrivée d'un officier ASL, Abu Hayder, un *mulazim awwal*. Originaire de Qusayr. Jeans, veste militaire avec insignes (deux étoiles), barbe fournie, mains de travailleur. Il a servi six ou sept ans dans l'armée. Au début des événements il était en poste à Deraa. Il avait cru en partie à la ligne du régime — celle du complot contre la Syrie — mais a vite été désabusé. Il a déserté en août, durant le ramadan, mais sans l'annoncer officiellement à la télé. Un ami à lui avait été blessé, par des *shabbiha*, lors d'une manifestation pacifique à laquelle il participait. Il l'a amené aux urgences, mais il est mort. À cette époque l'hôpital fonctionnait encore. À l'hôpital, l'ami mort a été filmé, puis il a été montré sur Dunya TV [1], et présenté comme un manifestant innocent tué par des terroristes. Ce mensonge a révolté Abu Hayder et a été le déclencheur de sa désertion. À cette époque, il n'y avait pas l'ASL en ville.

Abu Hayder appartenait à une unité particulière de l'Administration de la guerre chimique ; il était chargé d'envoyer, à partir d'un véhicule spécial, des fumées de couleur sur les bâtiments qui devaient être épargnés durant un bombardement, pour les «marquer».

Affirme que, vers août, il a été témoin de bombardements aériens sur des habitations civiles et la population (des manifestants) à Deraa. Il y avait déjà des unités de déserteurs, la future ASL, et l'armée a été empêchée d'intervenir, alors ils ont envoyé des avions.

La Colère va nous conduire à l'*autostrada*, où Abu Brahim enverra quelqu'un nous chercher pour nous amener directement à Bayada. Alors que ce matin il était de nouveau

---

1. La chaîne privée de Rami Makhlouf, un puissant cousin de Bachar al-Assad.

prévu qu'on entre en ville par Baba Amr, ils ont encore dit catégoriquement non. Conversations énergiques au portable. Hier, Bayada et Khaldiye ont été bombardés au tank, ce qui est rare. Situation très tendue.

ASL de Baba Amr convaincus que les *shabbiha* et les forces de sécurité vont cibler des journalistes étrangers pour faire accréditer la thèse officielle du terrorisme. C'est pour ça qu'ils ne veulent pas de nous. Pensent que c'est trop risqué.

Discussions furieuses au téléphone avec Abu Brahim, coupées tout le temps, pour arranger le rendez-vous sur l'*autostrada*. Abu Hayder parle branché sur haut-parleur, il gueule et agite le téléphone devant sa bouche.

Portable de D. : photos de bébés, d'amis, de sorties estivales où on fume le narghilé au bord de la rivière, d'une Uzi avec silencieux, d'un pick-up camouflé avec une mitrailleuse montée à l'arrière, d'une Mercedes dernier cri…

Les négociations continuent. Le plan d'Abu Brahim est impossible : trop loin, trop dangereux. Il faut entrer par Baba Amr, c'est obligé. Les gens là-bas acceptent, mais uniquement s'ils peuvent nous transférer tout de suite à Abu Brahim.

––––––––

Midi. Visite à une ferme de l'ASL, avec Abu Hayder. Une douzaine d'hommes en uniforme, la plupart cagoulés, avec des kalachs. Un pick-up blanc, Toyota Hilux, avec une *dochka* 14,5 mm montée à l'arrière et des stickers de la *katiba* al-Faruk sur les portes. Les gars posent pour la photo avec un drapeau, la *dochka* et des RPG, en cagoule ou en keffieh.

Puis on fait une séance de pose dans la ferme, tous cagoulés, avec armes et le sticker de la *katiba*. Ambiance apprentis guérilleros ; apprentis en communication, surtout.

Abu Ahmed, qui commande la zone nord de Qusayr. Officier déserteur, *mulazim* [1]. Barbe fournie, moustache rasée, look islamiste. Il avait quitté l'armée avant le soulèvement, à cause d'un conflit personnel, et a rejoint l'ASL dès le début. En avril déjà, ils essayaient de s'organiser militairement, mais il n'y avait pas encore d'affrontements.

Ils ont des contacts avec des ex-militaires et des officiers en service. Beaucoup de complices dans l'armée, des sympathisants, des officiers qui les aident, surtout en fournissant des munitions. Ils obtiennent ainsi la moitié de leurs munitions. Abu Hayder, lui, a pu déserter grâce à de telles complicités.

Le *naqib* [2] qui a fondé et qui commandait la *katiba* s'appelait Abu Abayda. Il a été tué le 28 septembre. Un soldat me montre un film de son cadavre sur son portable.

On me montre aussi un film de l'entrée de T-72 à Qusayr, le 16 décembre, sur des transporteurs, en nombre. Puis des photos d'un char détruit. Puis un film d'une attaque sur un convoi, plusieurs véhicules brûlent, un RPG en détruit un, des voix gueulent *Allahu akbar !* Tout ça a eu lieu le 16, ils ont attaqué dès l'arrivée des blindés. Ils disent avoir détruit trois chars et neuf BMP. Les blindés n'ont pas pris feu tout de suite, et ils ont récupéré treize cadavres de soldats, ainsi que sept prisonniers. Le lendemain, ils ont obligé un chauffeur gouvernemental à ramener les corps à l'armée. C'est là

1. Sous-lieutenant.
2. Capitaine.

35

que les militaires ont riposté en bombardant la ville, faisant trente morts.

Sur le même téléphone, une photo de Zarkaoui avec Oussama Ben Laden. Raed : « On est tombés où ? » Ils rigolent : « C'est juste qu'on les aime bien. »

Films aussi de leurs *shahids*, nus, avec seul le sexe couvert. Gros plans sur les blessures. Exposition du corps martyr.

Les officiers continuent : la *katiba* intervient rarement. Ils contrôlent Qusayr ; les barrages restent retranchés, ne les gênent pas. Ils n'attaquent que lors des opérations de l'armée, lorsqu'elle tente une manœuvre. L'armée ne peut plus arrêter des gens, sauf si elle fait une grosse incursion.

Il y a deux mois, l'ASL a réussi à prendre la mairie, mais l'armée est revenue et les a délogés. Depuis deux semaines, ils ont un accord avec l'officier qui commande la mairie. Par peur d'une nouvelle attaque ses snipers ne tirent plus. L'ASL circule librement avec ses pick-up, les militaires les voient mais ne tirent pas.

Ici, personne n'a annoncé sa défection officiellement. Ils vivent chez eux ou veulent pouvoir y rentrer, ne veulent pas de problèmes pour leurs familles. D'où les cagoules.

De nombreux déserteurs qui rejoignent l'ASL, individuellement ou en groupe, se font filmer à visage découvert, avec leur carte de l'armée tendue devant eux ; ces films sont ensuite mis en ligne sur YouTube, comme preuves de l'effondrement du moral de l'armée et de la montée en puissance de l'ASL.

Un soldat raconte : il était *raqib*[1] à Deraa, à la tête d'une petite unité de l'armée. Il a assisté à un massacre de onze

1. Sergent.

civils à côté de Laraa, près de Deraa. Le *naqib* Manhell Slimane a commandé le massacre, avec le *naqib* Randi. Il affirme que seuls les deux officiers ont tiré, d'eux-mêmes, sans demander aux soldats. Pas de forces de sécurité avec eux. Parmi les victimes, un garçon de onze ans.

À Dazil, l'armée avait encerclé la ville avec deux cents chars, avec consigne de tirer sur les véhicules qui sortaient, pendant que les forces de sécurité et les *shabbiha* tuaient à l'intérieur. Lui affirme qu'il tirait en l'air. Dit qu'il y avait des Iraniens avec les *shabbiha* — ils parlaient une langue étrangère et faisaient la même chose que les autres.

Son ami, mitrailleur de T-52 [1], avait reçu l'ordre de tirer sur un toit où se trouvaient des civils, et a été liquidé pour avoir refusé. Il a pris une balle dans le dos. Lui-même était avec l'unité de communications, un peu plus loin, il n'a pas vu qui a tiré. Son ami était de Homs, il s'appelait Mahmud F.

On nous présente un autre gars comme un déserteur des *mukhabarat* de l'aviation, un simple soldat. Il a été témoin de comment on pratiquait la torture, et a déserté pour ça. Mais il ne montre pas sa carte, affirme qu'elle est chez lui.

Il dit qu'il y a plusieurs ex-*mukhabarat* à Rastan. D'autres ont fui en Jordanie.

Au retour, dans la voiture. Abu Hayder explique que Zarkaoui est son idole, parce qu'il est venu en Irak pour affronter l'Iran et les chiites. Abu Odai, qui conduit, tempère : « Mais ici, en Syrie, c'est pas du tout pareil. »

————

1. Char moyen de conception soviétique, un modèle complètement dépassé.

[*Chez Abu Amar.*] Rencontre avec Abu Nizor, le docteur qui gère la tente de soins près de la frontière. Il parle un peu anglais. «*It's quiet here. Nearly romantic*[1].»

Les médecins qui s'occupent des blessés sont suivis par la police secrète. C'est très dangereux. Il n'y a plus d'hôpital à Qusayr depuis deux mois, depuis que l'hôpital national a été occupé par l'armée. C'est à ce moment qu'il a monté la tente. Ils reçoivent des blessés graves depuis Baba Amr, et essayent de les transférer au Liban. Ils ont aussi un gros problème avec les femmes enceintes, il n'y a plus qu'à Homs qu'on peut faire des césariennes. Et la ville n'est pas toujours accessible.

Le point médical de Qusayr — celui que nous avons vu — est ouvert depuis deux ou trois semaines. Ils prévoient aussi d'en ouvrir un autre entre la ville et la tente.

Abu Nizor est généraliste, mais il a appris un peu de chirurgie sur le tas. «*See one, do one*[2].» Il peut faire des opérations à l'abdomen, des choses basiques. Les *mukhabarat* le recherchent, mais n'ont pas molesté sa famille. Il n'est pas payé, mais les gens et sa famille l'aident. Il est souvent tellement débordé qu'il ne demande même pas les noms des patients, et ne garde aucune statistique. Certains jours, il reçoit jusqu'à vingt patients, et il est seul.

L'armée vise souvent la tête ou la poitrine, et certains blessés meurent par manque de soins : «*Sometimes we see the patient die in front of us, and we can't do anything*[3].» Il ne peut pas faire la chirurgie nécessaire, ni les évacuer au Liban. La frontière est très difficile à passer. Parfois il faut

1. «C'est tranquille ici. Presque romantique.»
2. «Tu en vois une, tu la fais.»
3. «Parfois on voit des patients mourir devant nous, et on ne peut rien faire.»

attendre une ou deux heures, parfois elle est fermée. Certains patients meurent sur la frontière même, d'autres sont ramenés à la tente et meurent là. En outre, il faut quatre heures de la tente jusqu'à Tripoli, c'est souvent trop long.

———

15 h. Manifestation. Au même endroit qu'hier soir, deux fois plus de gens. Une centaine de femmes aussi, ensemble sur le côté. Ce sont les mêmes slogans chantés, les danses en lignes, bras dessus bras dessous, avec la musique des tambours. Petits bébés ou enfants sur les épaules de leurs pères, parfois avec un drapeau. Les femmes accompagnent le rythme en tapant des mains. Toutes voilées, certaines avec le bas du visage masqué aussi, quelques femmes en *niqab* dans un coin. Des petits, y compris des fillettes, chantent aussi des slogans au micro, menant la foule. Parfois ce sont des slogans religieux.

Après, tour du bourg en moto. Les barrages ASL pour la manifestation, l'endroit où un des chars a été détruit, un impact de *nail bomb* [1]. Après-midi ensoleillé mais froid, teintes roses dans le ciel, des oiseaux migrateurs tournoient en groupe au-dessus des maisons.

Au carrefour de la route qui part vers le lac de Qattinah, on nous explique de nouveau les combats du 16 décembre.

1. «Bombe à clous». Ce terme, d'habitude, se réfère aux bombes improvisées, bourrées de clous ou d'autres morceaux de métal, typiquement utilisées par les insurgés afghans ou iraquiens. Mais les Syriens s'en servent pour désigner une sorte d'obus qui, au lieu d'éclater en fragments comme un obus de mortier ordinaire, disperse une volée de petits plombs, semblables à ceux tirés par une carabine de chasse. Je n'ai pas pu identifier cette munition, souvent utilisée à Homs. Les blessures qu'elle laisse dans les corps, des petits trous ronds, sont facilement reconnaissables.

Les blindés essayaient de pénétrer dans Qusayr par ce carre-four. Le premier soir, il y avait six T-62 en colonne, sans infanterie, et l'ASL a détruit un des chars. Deux jours plus tard, l'armée a tenté une seconde incursion, avec deux blindés accompagnant un pick-up. Les chars ont été détruits et le pick-up capturé ; les six prisonniers ont tous rejoint l'ASL.

———

[*Chez Abu Amar.*] 17 h 30. La Colère arrive avec un gars de Baba Amr, Ibn Pedro. Il a été envoyé par l'ASL du quar-tier pour nous y mener. Il y a une heure, à la tombée de la nuit, un ami de La Colère a été tué à un barrage volant. C'était un soldat qui avait déserté de la sécurité d'État il y a deux mois. Il était en véhicule avec un ami, ils ont réussi à tourner et à fuir à travers les arbres, puis à pied, mais il a pris une balle dans le dos. Ça a eu lieu dans la zone où on est passés hier, pas loin du checkpoint ASL sur le pont, là où traversaient les contrebandiers. Les gars du checkpoint ont réussi à récupérer le corps.

Information : il y a un avion d'observation sur la zone, avec du matériel d'observation de nuit venu d'Iran.

Abu Amar : « L'armée est corrompue, c'est une armée de voleurs, tous ceux qui peuvent payer n'y vont pas, seuls les pauvres y vont. C'est une armée incompétente, qui ne fonc-tionne pas. Elle ne sert qu'à engraisser la communauté alaouite. »

Lui a été sous-officier durant trois ans. Avant les événe-ments, l'armée n'était pas prête, n'avait pas d'équipement sophistiqué de communication, d'observation, etc. Ils n'ont du matériel iranien que depuis le début de la révolution.

L'armée est en état de déliquescence totale.

18 h 30. L'infirmier rencontré hier au point de santé a été pris, à un barrage. Par hasard, il n'était pas recherché. Le centre qu'on a vu hier a déjà été évacué, tout le matériel enlevé.

Raed m'explique des rituels : le *shahid* n'est pas lavé, il est enterré dans son sang. On le dénude, et ici on le filme ou le photographie souvent, pour documenter les blessures, pour le souvenir aussi sans doute. Puis il est enroulé dans un linceul. Si possible on l'enterre au moment de la prière du midi, parfois en attendant la nuit après sa mort. On expose le corps devant le mur de la *qibla* et on prie dessus, toujours debout, sans génuflexions, en répétant dix fois avec l'imam *Allahu akbar !*

21 h. La Colère et Ibn Pedro. Blagues sur le whisky qu'on boit, ils disent qu'ils nous couperont la gorge. Raed : « Alors c'est vrai ce que dit Bachar sur les terroristes salafistes ! » Grands rires. Ils nous confirment qu'on pourra entrer à Baba Amr, mais qu'on sera les derniers. L'ASL pense que certains correspondants — deux Anglais ? — étaient des espions du régime.

Durant mon séjour à Homs, j'ai entendu cette histoire de journalistes-espions à toutes les sauces. Chaque fois, la nationalité variait — marocains, allemands, italiens — mais ils étaient toujours deux. Ça semble se référer à un incident précis, mais je n'ai jamais pu avoir plus de détails.

Il y a quinze jours, l'armée est venue ici, chez Abu Amar, et ils ont volé tous les matelas, les couvertures, le mazout, toute la nourriture et ont cassé le climatiseur. Abu Amar a dû tout racheter. Curieusement, les soldats ont laissé la télévision.

Vers 23 h, les gens montent sur leurs toits et on lance le *takbir*[1] : tout le monde se met à scander *Allahu akbar !* Ça s'entend de loin. Invariablement, les barrages de l'armée se mettent à tirer. C'est comme ça tous les soirs.

---

1. Mot qui désigne la phrase *Allahu akbar*, « Dieu est le plus grand ».

Jeudi 19 janvier

Petit déjeuner copieux, houmous à la viande, *musahaba* au houmous et au *foul*, fromages, *labneh*, olives… Abu Amar : « Mange beaucoup, tu pars pour Tora-Bora ! » Proposent en riant de nous faire porter des obus. La Colère est tout à son business : « Je dois aller voir l'Armée libre, il faut qu'ils me donnent des Benjamin Franklin ! »

Un soldat entre, cagoulé, avec une écharpe tricotée aux couleurs de la Syrie libre. Il a déserté il y a trois heures, explique-t-il. C'est un *mulazim*, en poste à Damas, qui est venu ici en permission. Il est encore en uniforme, une veste camouflage. Son frère, un *mulazim* aussi, est en prison pour avoir refusé de tirer sur des manifestants. Il a peur pour son frère, et c'est pour ça qu'il reste cagoulé. Il veut rejoindre l'ASL. Rapidement, il nous montre son visage, pour qu'on voie que ça correspond à sa carte.

Sous sa cagoule, il paraît tendu, nerveux. Yeux très mobiles. Notre hôte l'engueule : « Tu es un officier, tu dois être courageux. Pourquoi tu caches ton visage ! Un officier dirige, il doit montrer l'exemple. »

Des amis ont raconté à cet officier ce qui se passe dans les prisons militaires des banlieues de Damas, Qabun et Aazra. Des officiers sont emprisonnés là, pour des propos tenus contre le régime ou pour avoir refusé de tirer. Ils sont séparés par confessions, et on ne les mélange pas ; toutes sont représentées, druzes, alaouites, chrétiens, etc.

Lui vient de l'aviation, il était basé à l'aéroport militaire de Dumayr, dans la banlieue de Damas. Copilote d'hélicoptère Mi-8. Il affirme que les hélicoptères ont été utilisés contre les manifestations, à Zabadani, avec une mitrailleuse 7,62 mm montée dans la porte. Au début, c'était seulement pour effrayer mais, après, ils tiraient pour de vrai.

---

11 h. Départ sous la pluie avec La Colère et Ibn Pedro. Pas de place dans la cabine, je m'accroupis dans le cul d'un pick-up chargé de caisses de munitions. À la sortie de Qusayr, on transvase les munitions, ainsi que deux lance-roquettes, dans une camionnette un peu plus grande, avec un nouveau chauffeur. On s'entasse dans la cabine, moi sur les genoux de Raed, à côté d'Ibn Pedro. La Colère part de son côté. Route, puis long chemin boueux, cahotant à travers champs, où on croise de nombreux camions qui veulent éviter le barrage. La pluie et la grêle alternent avec des éclats de soleil. Au bout de quelques kilomètres, un autre village, on rejoint un camion, qui transporte des médicaments planqués dans un double fond en métal, et une autre camionnette. Passage plus rapide à un troisième village. En route, discussion entre le chauffeur, Abu Abdallah, et Raed sur le salafisme. Abu Abdallah : «Alors, tu as vu des salafistes ici, comme dit Bachar ?» Raed : «Ça dépend. Qu'est-ce que tu entends par salafistes ?» — «Justement. Ce mot veut dire

deux choses. Les musulmans du pays de Cham[1] suivent la voie de la modération. Pour bien vivre, ils suivent l'exemple des ancêtres pieux, d'un homme pieux d'autrefois qui a vécu justement dans l'islam. Ça c'est le sens original de salafiste. L'autre sens, le courant takfiriste, djihadiste, terroriste, c'est une création des Américains et des Israéliens. Ça n'a rien à voir avec nous.»

On arrive à un village et on se gare à côté d'une maison, où on est accueillis par une femme et un garçon souriant à la poignée de main ferme et décidée, un vrai petit gars. Attente dans la pièce des invités. L'ASL a repéré des mouvements de l'armée et le passage n'est pas libre. Ça peut durer.

Dialogue Raed - Ibn Pedro. Ibn Pedro demande ce qu'on veut manger quand on arrive à Baba Amr, pour prévenir afin que ce soit prêt. Raed : «Du cochon!» Ibn Pedro : «On va t'égorger un chiite, alors.» Raed : «Tu vois, tu as une attitude sectaire.» Ibn Pedro : «C'est vrai, mais c'est eux qui ont commencé. C'est leur faute.»

Ibn Pedro raconte que l'ASL a des prisons à Baba Amr, où ils détiennent des *shabbiha*. Ils leur font des procès «en bonne et due forme. Ceux qui ont tué des enfants, on les condamne à la peine capitale». Ils ont aussi fait des échanges de prisonniers, notamment au moment où les observateurs arabes sont arrivés.

Il a personnellement vu un cas de *shabbiha* condamné et exécuté par balles. «Il avait tué des enfants.» Vague. «C'est lui aussi qui m'a tiré dessus.» Montre sa blessure, une balle à l'abdomen. Conneries, en fait il a été shooté

1. La Syrie.

45

par un sniper à Insha'at il y a un mois et demi, et soigné dans une clinique secrète.

Discussion vive entre Raed et Ibn Pedro. Raed reproche à Ibn Pedro ses exagérations et déformations. Il explique qu'en tant que journalistes on doit rendre compte de faits précis, que les exagérations les desservent, et desservent leur cause.

Raed précise ce que disait Abu Abdallah sur les salafistes. Il y a en fait trois courants : le courant takfiri-djihadiste *made in USA* ; le courant *djamaat al-tabligh* [*fondé en Inde en 1926*], un courant transnational, non politisé, qui a pour vocation de diffuser l'islam dans les communautés musulmanes, courant plus proche des Frères musulmans ; et le courant de pensée *tahrir al-uqul*, «la libéralisation des esprits», un courant non politique, religieux, pieux, et aussi élitiste.

Raed explique ses plans à Ibn Pedro, qui lui propose [*afin de circuler plus facilement à Homs*] de lui faire faire une fausse carte d'identité, avec la mention *chrétien*. Ça prendra dix jours, et se fait au Liban.

L'attente dure. Raed papote, montre ses photos sur son ordinateur. On boit du thé. Les hommes prient. Raed montre aussi des PDF de ses publications, fort utile pour notre crédibilité. [*Je lis Plutarque, le seul livre emporté avec moi.*] «Ces choses et autres semblables plairont, à l'aventure, plus aux lecteurs pour la nouveauté et la curiosité, qu'elles ne les offenseront pour leur fausseté» (*Vie de Romulus*, XVIII). Ça colle bien avec l'attitude d'Ibn Pedro.

Le petit est un vrai caïd. Quand je lui demande le chemin des toilettes, il file devant pousser sa mère dans une pièce et ferme la porte derrière elle.

Dialogue Raed - Abu Abdallah, notre chauffeur. Abu Abdallah était ingénieur en électricité, il a fait six ans d'études à l'université d'ingénieurs de Damas. Dans les années 90, il a été viré de son travail à la raffinerie de Homs, parce qu'il refusait des pratiques de corruption. Puis il est parti deux ans aux Émirats exercer son métier. Ensuite il est revenu en Syrie et a monté une entreprise. Maintenant, il aide l'ASL pour la logistique : transport de blessés, d'armements et de journalistes.

Abu Abdallah nous interroge sur la position du peuple et du gouvernement français, et Raed explique que globalement ils soutiennent le soulèvement, comprennent et condamnent les atrocités du régime. Abu Abdallah est d'accord, mais dit que ça ne les aide pas beaucoup, qu'ils ne voient aucun résultat concret. Raed explique que la pression diplomatique limite la répression du régime. « Regarde ce qu'ils ont fait à Hama ! » Abu Abdallah : Hama, c'est différent, c'était un soulèvement provoqué par un mouvement politique, les Frères, soutenu par Saddam Hussein [1]. Aujourd'hui c'est le peuple qui se soulève. Les mouvements politiques courent pour le rattraper et monter sur ses épaules. Surtout les Frères, les communistes et les salafistes (tendance *tahrir*, précise Raed — les deux autres n'existent pas en Syrie). Il sent que les partis politiques, depuis deux mois, essayent de prendre le train en marche. Les Frères sont un

1. La destruction en février 1982 de la ville de Hama par les forces de Hafez al-Assad, le père de Bachar, destruction qui fit entre dix mille et trente-cinq mille morts selon les estimations, fut le point d'orgue de la répression du soulèvement armé déclenché, après une longue campagne d'assassinats d'officiels alaouites, par les Frères musulmans syriens. Après Hama, le parti des Frères fut interdit, ses membres exécutés, et les survivants se réfugièrent à l'étranger. Ils forment aujourd'hui la faction la plus importante du Conseil national syrien (CNS), principal organe représentatif de l'opposition.

parti, ils veulent des résultats, des gains politiques. Leur action s'en ressent. Les communistes aussi, surtout à Djebel-Zawiye (région d'Idlib) et Salamiye (entre Homs et Hama, où il y a beaucoup d'ismaélites). Les deux partis essaient de se reconstruire une base populaire. Mais la rue syrienne refuse la politisation du mouvement. Ils acceptent de l'aide d'où qu'elle vienne, mais elle ne peut pas être conditionnée.

Une des conditions des Frères, pour soutenir le mouvement, était que la coordination se fasse en leur nom, et que les slogans viennent d'eux, que les gens manifestent en leur nom. Le mouvement a refusé. Après, s'il y a des élections, les Frères seront libres de se présenter. La rue syrienne ne s'est pas révoltée pour revendiquer une option politique précise, mais en réaction à l'oppression et à l'humiliation.

«Moi je fais partie des gens qui n'avaient pas de conscience politique. Quand je suis descendu dans la rue, je ne voulais pas le départ de Bachar al-Assad. On voulait juste une vie digne, manger et être respectés. Mais même pratiquer ma religion est un problème. Si tu rencontres des gens à la mosquée, pour t'éduquer, tu auras tout de suite des ennuis, tu seras vu comme un opposant islamiste. Toutes les institutions sont politisées par le Baas : l'école, l'université. Le peuple syrien est élevé comme dans un poulailler : tu as le droit de manger, dormir, pondre, c'est tout. Il n'y a pas de place pour la pensée. On vit sous le régime du Baas et Bachar al-Assad est notre président pour l'éternité. On ne peut imaginer aucune alternative.

«Le régime de la Syrie n'a aucun équivalent à part la Corée du Nord. Ils nous ont mis dans la tête qu'on est un grand peuple, qu'on lutte pour les Arabes, contre Israël, contre l'impérialisme. Mais ils nous ont vendus, ils ont vendu les Arabes, les Palestiniens, le Golan. Toute l'élite est à l'étranger, pourquoi ? Ils ont compris. Et en Syrie c'est interdit de comprendre. »

Au départ, par manque d'information, Abu Abdallah était prêt à accepter n'importe quoi pour se débarrasser de ce régime. Dans les premiers mois, en voyant les massacres, il aurait pu accepter une intervention étrangère. Il n'avait aucune conscience politique. Aujourd'hui, il prend plus de recul. Il ne veut pas remplacer un mal par un autre mal.

Il pense aussi que la France, les États-Unis, l'Occident laissent la répression continuer sans intervenir pour garder la Syrie faible et protéger les intérêts israéliens. Ils ne veulent pas d'une Syrie forte, démocratique, avec une armée puissante.

Pensée un peu plus tôt, dans le camion : le double maillage social. Face au maillage policier et sécuritaire du régime, les gens ont mis en place un contre-maillage, fait d'activistes civils, de notables, de figures religieuses et, de plus en plus, de forces militarisées, les déserteurs qui forment l'ASL. Ce contre-maillage résiste à l'autre, le contourne et, progressivement, l'absorbe (déserteurs, informateurs dans l'armée ou les *mukhabarat*). Quand on circule, ce maillage devient tout de suite visible, avec les changements de véhicules, les relais, les *safe houses*, les constants échanges téléphoniques pour prévenir de l'évolution de la situation sur le terrain.

On pourrait dire que la société syrienne s'est dédoublée, que deux sociétés parallèles et en conflit mortel coexistent maintenant dans le pays. Avant la révolution, il y avait bien sûr de la résistance passive au régime, mais les gens restaient insérés dans le maillage général par de très nombreux liens. Maintenant, ce second maillage s'est complètement dégagé du premier, coupant tous les liens un par un. Or les deux ne peuvent coexister et la lutte est mortelle. L'un des deux doit être défait, et ses composantes détruites ou réabsorbées par l'autre.

———

14 h 30. La voie est libre. Abu Abdallah et Ibn Pedro partent vérifier le trajet, s'assurer qu'il n'y a pas de barrages. 15 h. Ils reviennent : *Yallah*. On laisse les sacs, ils les apporteront ce soir. Ibn Pedro part devant dans une première camionnette avec un chauffeur ; on suit cinq minutes derrière, avec Abu Abdallah. Ils ont un système un peu complexe à comprendre en cas de barrage volant, car le téléphone est HS, pas de réseau. Le premier véhicule passera, puis mettra ses warnings et une moto reviendra nous prévenir. Mais il ne se passe rien. On arrive dans un village chrétien, dominé par une immense usine chimique. Quand Abu Abdallah ouvre la fenêtre, une odeur immonde, âcre, envahit l'habitacle : «Voilà, on est près d'un lac magnifique où viennent les touristes, et on met une usine chimique ici. Entre cette usine et la raffinerie, cette région a le plus haut taux de cancer de Syrie.» Le lac brille au loin, une fine langue bleue derrière le bourg. Des nuages gris couvrent l'horizon, une pluie fine se met à tomber, le soleil brille par-dessous, illuminant le paysage boueux, chaotique, dominé par ce dinosaure industriel aux immenses tas de poudre jaune. On a en fait contourné le lac par le sud, et on le longe vers Baba Amr et Homs.

Devant nous apparaît l'*autostrada* Damas-Homs, surélevée sur un haut talus avec un trafic assez régulier dans les deux sens. J'avais pris cette même autoroute en 2009, avec ma famille, pour aller au Krak des Chevaliers, qui se trouve plus loin, sur la route de Tartous. Juste avant d'y arriver on tourne à gauche, après avoir salué un homme. Ibn Pedro nous attend un peu plus loin devant une maison. On descend, on va continuer à pied.

L'homme qu'on a salué nous rejoint. On dit adieu à Abu Abdallah, qui nous laisse ici. Et on part juste quand la pluie s'arrête. Le soleil brille sur les flaques. Raed marche devant avec l'homme, vers un tunnel sous l'autostrade, je suis un peu plus loin avec Ibn Pedro. Le passage ne devrait pas poser de problème, mais mieux vaut ne pas être trop groupés. La boue colle à nos bottes. Ibn Pedro me fait rouler mon pantalon, attention d'une grande délicatesse car on patauge vraiment, et il ne veut pas que je le souille. On s'engage sous le pont ; juste après se dresse un poste de l'armée. Un soldat pointe son nez, nos amis échangent quelques mots, le soldat nous fait signe et on continue. Plus loin, il y a de vagues installations industrielles, des murs croulants en béton préfabriqué, de la boue dans laquelle on patauge toujours. L'homme nous quitte et part vers la gauche, on avance tout droit avec Ibn Pedro en nous éloignant de la voie ferrée. Devant nous, au-delà de la voie, il y a un autre poste : il n'est pas « ami » du tout, mais a priori, si on a passé le premier poste, celui-ci n'a aucune raison de nous tirer dessus. Je vois le bunker de sacs de sable, au-delà d'un champ labouré par lequel on fait un crochet pour éviter la boue collante du chemin. Le poste se trouve à cinquante mètres, pas plus. On passe sans aucun problème. Puis on longe des maisons. Une voiture nous attend trois cents mètres plus loin, avec deux combattants dedans, une kalach à l'avant. On démarre vite. Peu à peu le tissu urbain s'épaissit, on est sur une route entre des maisons à deux étages en cours de construction, il y a des gens, c'est Jaoubar, un faubourg périphérique de Homs.

Un peu plus loin au milieu d'une avenue assez large, à un carrefour, un checkpoint de l'ASL, des jeunes gens souriants, armés de kalachs. Raed veut les photographier mais Ibn Pedro refuse. Vive discussion, on s'arrête, Ibn Pedro et Raed s'engueulent. Le problème, c'est que c'est une autre *katiba*, et Ibn Pedro ne veut pas de problèmes. Il promet de nous ramener, sans doute avec un responsable. On continue. Petites routes, un mélange de campagne, de maisons, de petits faubourgs, on croise des voitures avec des soldats, des hommes armés à pied, un autre barrage de l'ASL. Ils contrôlent toute la zone, ici ce sont les vergers de Jaoubar et de Baba Amr, puis les premiers petits immeubles de Baba Amr.

Les bâtiments sont constellés d'impacts, éclats de mortiers, RPG et obus de tanks. On passe des postes ASL, un à côté d'un marchand de fruits et légumes, avec ses caisses alignées derrière les soldats, puis dans un quartier déserté on arrive à un PC de l'ASL, un appartement au rez-de-chaussée avec sur un côté un mur de sacs de sable. Une dizaine de soldats, bien armés, mangent un repas commun dans des gamelles. On repart, le quartier semble vide, la lumière du soir rend le béton criblé d'impacts jaunes presque beau. Enfin on se gare devant un immeuble et on nous fait entrer dans un autre appartement au rez-de-chaussée où nous attendent Hassan et ses hommes.

16 h 20. Explications. Cette partie de Baba Amr s'appelle Haqura, c'est le côté nord du quartier. Tous les habitants de Haqura sont partis dans les villages périphériques, sur dix mille personnes il reste deux familles. Baba Amr aurait entre cent vingt mille et cent trente mille habitants.

La *katiba* al-Faruk, qui défend Baba Amr, compterait mille cinq cents hommes en tout. Le commandant de Haqura est le *muqaddam* Hassan. Il affirme qu'il a déserté dès le commencement de la révolte : sa maison a été détruite lors du début de la répression à Baba Amr. Avant, il était en poste à Damas, dans l'infanterie. Il n'a pas annoncé sa désertion : au contraire, pour protéger sa famille, l'ASL a appelé l'armée avec son téléphone et ils ont dit qu'ils l'avaient tué. Pour l'armée il est mort.

Son adjoint Imad explique qu'il a un proche dans l'armée, qui au lieu de déserter leur donne des informations. C'est assez courant, semble-t-il.

Bonne ambiance, on mange des *sfihas* avec du yoghourt dans le salon d'accueil. Ibn Pedro continue ses plaisanteries sur les salafistes et le whisky. Il y a des armes un peu partout : un M16 avec une lunette de visée, une mitrailleuse 7,62 mm avec un chargeur rond, un RPG avec un bandeau islamique tricoté autour de la roquette.

Des hommes entrent et sortent, on boit du thé. Un gars apporte un sac de cinquante kilos, en fibre synthétique, avec plusieurs kalachs dedans. Les officiers testent les mécanismes et les démontent.

Bassel, un jeune homme au teint foncé, en costume et bonne chemise, parle un peu anglais. Fadi, un gars à la barbe bien taillée et à l'air inquiet, nous montre la balle qu'il a prise dans le dos en fuyant un barrage. Elle est ressortie par le ventre.

Arrivée de Muhammad, un jeune *mulazim*, avec un fusil sniper belge, un Herstal 7,62 mm. Portée de huit cents mètres, d'après lui. C'est le spécialiste de l'unité.

Arrivée de Jeddi («Grand-Père»), un responsable de l'information, copain de Raed depuis novembre. Rires, tapes dans le dos : « C'est pas vrai, t'es là ? » Jeddi connaît aussi Manon Loizeau et Sofia Amara. Il a plusieurs traducteurs qui travaillent avec lui, ils pourront m'aider. Quand Raed parle de whisky, il sort en riant son pistolet et l'arme : « Whisky ? Je te tue ! » Grands rires. « C'est la nouvelle dictature. »

Jeddi nous propose de partir avec lui et on se prépare. Mais un conflit éclate entre Jeddi et Raed. Jeddi veut nous encadrer 24/24, alors que Raed veut rester dormir ici, avec Hassan et ses gars. Le ton monte. « Si t'es pas content, rentre à Beyrouth ! » Finalement Jeddi se fâche pour de bon et part. « Si c'est comme ça, démerde-toi. » Raed essaie de le suivre pour le calmer, puis revient. Du coup on reste. Raed explique notre position à Hassan et Imad. Bref, on fait connaissance, et, comme le patron du bureau de traduction de Baba Amr vient de partir en claquant la porte, je me tais comme d'habitude.

D'autres sous-officiers arrivent, dont un rouquin en uniforme camouflage beige qui braille d'une voix trop forte, comme enivrée. Il ressort, et une demi-douzaine d'hommes passent au fond du salon pour la prière. Brève dispute sur qui la mènera. Le rouquin revient, il n'est donc pas ivre, se joindre à la prière.

———

18 h. Sortie avec Imad. Rues sombres, très peu de voitures ou de lumières. On passe un carrefour où il y avait un poste de l'armée. L'ASL l'a encerclé et lui a coupé les vivres, puis a négocié son retrait. On remonte une longue avenue. Il y a un autre barrage au bout, mais il est vulnérable depuis que

l'autre a été évacué, et ne tire pas par peur d'une riposte ASL.

Visite de la clinique clandestine de Baba Amr. Dans l'entrée, des brancards, plusieurs personnes, des femmes aussi. Un long couloir divisé par un rideau, avec des pièces tout le long. L'une sert de pharmacie, les armoires sont pleines de médicaments, il y a du petit matériel sur une table, avec un chauffage posé en équilibre dessus, des couvertures, sur le sol repose un mannequin féminin d'anatomie, avec tous ses organes et la moitié du crâne exposés, dans un coin il y a aussi deux kalachnikovs et une veste pare-balles. On nous sert du thé et je discute avec un médecin, le docteur Abu Abdu, qui parle un peu anglais. Il était généraliste à l'hôpital national, mais a démissionné au début des événements. « *Our work has improved since March. We have a pool of doctors. Our work is better now* [1]. » Il refuse d'être photographié : s'il était identifié par la Sécurité, sa famille serait menacée.

Il explique : au début, les médecins travaillaient de maison à maison. Puis ils ont trouvé ce lieu, mais il n'y avait ni équipement ni pharmacie. Peu à peu les gens ont apporté des contributions. Ils ont reçu des médicaments du Liban, et aussi de pharmacies en ville.

Ils peuvent faire de la chirurgie ici. Difficile d'avoir des précisions sur le niveau. Ils ont des chirurgiens, de la kétamine aussi. Mais ils manquent de drains, de kits chirurgicaux. Aussi, certains médecins habitent dans d'autres quartiers de la ville et ne peuvent pas venir quand l'armée boucle Baba Amr. Parfois ils ont des cas qui nécessitent

1. « Notre travail s'est amélioré depuis mars. Nous avons tout un groupe de médecins. Nous travaillons mieux maintenant. »

une chirurgie lourde, mais le médecin spécialisé ne peut pas venir.

Il leur arrive aussi d'envoyer des médecins et du matériel plus loin, à Rastan et Telbisi.

Le nombre de blessés varie. Certains jours c'est trois ou cinq, blessés par des snipers. Si l'armée bombarde, ça peut être cent ou cent cinquante cas. Ils ne gardent aucune statistique. Il y a trois mois, l'armée a fait une incursion, et ils ont trouvé une radiographie de la poitrine d'un patient, avec son nom dessus. Le nom a été transmis aux *mukhabarat*.

Les gens de Baba Amr ne peuvent pas se rendre à l'hôpital à cause des *mukhabarat*, et ils ne peuvent pas aller dans les cliniques privées, car ils sont pauvres. À l'hôpital, les *mukhabarat* arrêtent les gens ou, au minimum, les empêchent d'être soignés s'ils apprennent qu'ils sont de Baba Amr.

La discussion devient politique. Abu Abdu : « Homs est une grande ville au milieu de la Syrie, entourée de villages chiites et alaouites. Et le gouvernement a distribué des armes à ces villages pour combattre la révolution. Là, les ennuis ont commencé, parce que alors les manifestants n'étaient plus seulement contre le gouvernement, ils étaient contre les chiites et les alaouites. Ça a causé des conflits énormes. Maintenant, si on t'attrape et que tu es de Baba Amr, on te tue. »

Il me montre un film, monté en musique, récupéré sur YouTube apparemment, sur lequel on voit deux jeunes gars — l'un de Khaldiye, l'autre de Baba Amr — attrapés à al-Zahra par des *shabbiha* et décapités vivants, au couteau. Film ultragraphique, un grand giclement de sang quand le couteau tranche. Les tueurs posent les deux têtes au sol et plantent le couteau à côté. La seconde tête, au sol, tressaille encore, sans doute à cause du sang. «*You see this? How can we stop when they do this*[1]?» Abu Abdu dit qu'il connaît les deux gars, mais il ne peut pas me donner leurs noms, parce que leurs familles ne savent pas de quelle manière ils sont morts.

«Au début, les *shabbiha* venaient avec des bâtons, en criant "Bachar, Bachar!". Puis ils sont venus avec des armes. Le gouvernement dit qu'il y a un problème entre les confessions, mais c'est lui qui a créé ce problème. Le gouvernement est prêt à tuer des gens des deux côtés pour intensifier le conflit. Puis des alaouites viennent au centre-ville, ils enlèvent des femmes, ils baisent nos filles et ils le filment. *They put the videos on the web to say: "See, we fuck Sunni girls." For us this is very heavy, as Arab and Muslim people*[2].»

Le visage du médecin, pendant qu'il parle, est en permanence travaillé par des tics.

Il propose de me présenter une femme prisonnière qui aidait les *shabbiha* à capturer des filles et à les violer. C'était une prostituée alaouite. Ils l'ont capturée dans un taxi, un officier et trois de ses aides se sont enfuis (l'histoire est un peu embrouillée), et la fille a tout raconté.

Une virulente dispute éclate entre Raed et un militaire barbu, obtus et agressif, avec un grand bandeau autour de ses cheveux épais. Le barbu, Abu Bari, ne veut pas nous montrer la fille. Dit que ça ne sert à rien. Ils l'ont déjà montrée à d'autres médias et ce n'est jamais sorti. Raed, de

---

1. «Tu vois ça? Comment est-ce qu'on peut s'arrêter quand ils font ça?»
2. «Ils mettent les vidéos sur le Web pour dire: "Regardez, on baise des filles sunnites." Pour nous, en tant qu'Arabes et musulmans, c'est très pesant.»

nouveau, gueule. C'est fatigant de pousser des coups de gueule à longueur de journée.

En fait, Abu Bari n'est pas un militaire mais, comme je le comprendrai plus tard, un civil, le responsable de cette clinique. Par la suite, nous aurons des problèmes avec lui et, malgré toutes les interventions des officiers ASL, il nous interdira catégoriquement de remettre les pieds dans la structure.

Dans la pièce à côté, bien chauffée par des radiateurs, deux blessés récupèrent, sous la garde de deux infirmières, voilées mais en uniforme hospitalier vert. On me laisse les photographier après avoir recouvert leurs visages de morceaux de tissu. Le premier a reçu des éclats d'un obus de mortier à l'abdomen, aux jambes et aux épaules, dans la rue Brazil à Insha'at, il y a quatre jours. Il a été opéré à l'hôpital national puis transféré ici. Le second a reçu des balles de sniper à la poitrine et au bras, ce matin, alors qu'il achetait du pain, dans la rue Brazil aussi. Il a été opéré dans un autre centre clandestin de Baba Amr.

Pendant que je visite les blessés, Raed et Abu Bari continuent à se disputer dans le couloir. Puis finalement Abu Bari me rejoint et découvre la fille, qui était juste à côté de moi, cachée sous une couverture. Elle porte un foulard noir et une longue robe bleue. Raed et moi obtenons de lui parler seuls, sans témoins pour l'influencer, dans la pharmacie.

Le récit de cette femme s'est avéré complètement incohérent, ce qui explique sans doute pourquoi les autres journalistes qui ont recueilli son témoignage n'ont pu s'en servir. Son usage d'un arabe très dialectal n'a pas facilité l'entretien. Il y a certainement un fond de vérité à cette histoire, car plusieurs autres personnes nous en ont parlé, et ont confirmé le nom du sous-officier des mukhabarat *responsable, un certain Abu Ali Munzir. La femme nous a aussi donné les noms des jeunes femmes enlevées et violées par Munzir ; nous avons cherché à les retrouver, mais en vain, et je ne vois pas de sens à reproduire ici leurs noms, pas plus que celui de notre témoin. Voici ce qui peut être retenu de son histoire, qu'elle raconte avec un petit sourire malin, en nous jetant des regards en coin, dragueurs et coquets, sous son foulard. Elle vient d'un petit village sur la route de Palmyre, et elle est illettrée, car chez elle les fillettes n'apprennent pas à lire. À quinze ans, elle s'est mariée et est venue vivre à Homs. Il y a deux ans, elle a divorcé, c'est alors qu'elle aurait commencé à travailler comme « artiste », comme on dit, à Hama et dans son bled. Là, le récit perd toute consistance : dénonciation par le mari, arrestation, torture, examens médicaux, passons.*

C'est en prison qu'elle aurait rencontré Munzir, un responsable carcéral. À sa libération, elle est rentrée dans son village, puis deux mois plus tard est revenue à Homs. Munzir l'aurait alors recontactée sur son portable. Il lui a demandé de servir d'appât pour la capture de deux jeunes sœurs qu'il voulait échanger contre des jeunes hommes alaouites détenus par l'ASL. Les détails de l'enlèvement n'ont pas vraiment d'intérêt. La fille dit qu'elle n'a pas assisté aux viols, mais une femme d'Alep, qui aurait tout vu, les lui aurait racontés.

Dans la première salle, près de l'entrée, deux blessés viennent d'arriver. On essaye d'entrer mais les hommes refusent qu'on les voie : « Il y a des règles. » Réflexes *mukhabarat* ? La paranoïa est aiguë. On nous met dehors. « Je ne veux pas voir ma photo à la télé ! » gueule un jeune qui nous rejoint à la voiture, avec un sourire. Pour voir ces blessés, il nous faut la permission du commandement militaire. Les discussions reprennent, c'est sans fin. Abu Khattab, un des médecins, nous explique enfin que ce sont des soldats prisonniers. « Nous, le régime nous tue ! Et nous, nos prisonniers, on les soigne ! » — « Justement, répond Raed, montreles-nous !» Impossible, il faut la permission du Conseil militaire. Quand Raed lance à Abu Khattab : «Vos méthodes, ce sont les méthodes du régime !», il est très affecté. La situation est tendue, ça crie beaucoup.

Après, Imad nous amène à un autre centre de soins, plus petit que celui d'Abu Bari, mais propre et bien ordonné, installé dans un appartement. Pas de médecins, juste deux infirmiers. Ils n'ont que du petit matériel chirurgical et ne peuvent que prodiguer des premiers soins. Si c'est une blessure sérieuse, ils doivent référer le patient ailleurs. Le centre d'Abu Bari est du même niveau. Maintenant, ils sont en train de monter une petite clinique pour Baba Amr, de meilleur niveau, capable d'opérer.

Nous visiterons cette nouvelle clinique quelques jours plus tard. Dans mes notes, les trois cliniques resteront numérotées dans l'ordre où nous les avons visitées : la première est le centre de soins d'Abu Bari, la deuxième ce centre de soins, ouvert comme on le verra par Imad et ses amis, et la troisième, la clinique proprement dite, montée aussi par le groupe d'Imad avec le soutien de l'ASL.

---

10 h 20. Retour à l'appartement de Hassan. Les hommes sont assis autour du poêle et racontent leurs exploits. Je bois du whisky, et ça n'a pas l'air de déranger. L'ambiance est bien plus sereine qu'à la clinique d'Abu Bari. Raed m'explique que les activistes ont créé un bureau de l'information, et que tous les journalistes doivent passer par lui, par ce Jeddi avec qui il s'est fâché plus tôt. La ligne du bureau est claire, on peut photographier tout ce qui est pacifique, manifestations, humanitaire, souffrance des civils et ainsi de suite, mais beaucoup moins ce qui est militaire, l'ASL et ses actions.

Bassam, un des soldats, nous fait le récit d'une attaque qui a eu lieu il y a trois jours. Une quarantaine de soldats voulaient déserter, mais ils ont été arrêtés par les forces de sécurité qui les ont emprisonnés dans ce que Bassam appelle la Tour, un grand immeuble rue Brazil. Les soldats, qui allaient être exécutés, étaient détenus au neuvième étage ; les forces de sécurité étaient retranchées au huitième. Bassam, avec deux de ses amis, a attaqué la tour avec un RPG, tirant trois roquettes contre le huitième étage et tuant quelques *mukhabarat*. Puis ils ont négocié : relâchez les déserteurs, ou on vous tue tous. Les quarante hommes, ainsi que deux civils, ont pu partir.

Après, Bassam récite un poème en arabe classique. Une musique merveilleuse, rythmée, emphatique, martelée, belle à écouter même si je ne comprends pas un mot. Raed connaissait un officier qui récitait des poèmes tous les jours, ça coulait de sa bouche comme de l'eau. Mais il est mort.

Bassam a une belle gueule, fine, pointue, avec une barbe bien taillée et des yeux aigus, et un bandeau autour de sa tête un peu dégarnie. Une gueule de boïevik tchétchène de la grande époque. Ce n'est pas un déserteur, mais un civil qui a pris les armes. Célibataire, la trentaine, et il n'est pas d'ici, mais de la campagne d'Alep. En voyant les crimes du régime, les viols, meurtres, etc., il a décidé il y a un mois de venir d'Alep à Baba Amr rejoindre l'ASL. Il a un neveu qui est à l'université ici, qui faisait partie du comité de coordination d'une autre ville, et qui l'a introduit auprès de l'ASL. Après, ils ont vu comment il se comportait au combat.

Avant, il était journaliste ; des magazines le sollicitent encore.

«Ici, à Baba Amr, vous êtes dans un État dans l'État. C'est le quartier le plus sûr de Syrie. Les gens sortent la nuit, ils n'ont pas peur des snipers. Les tanks d'Assad passeront sur nos corps avant qu'ils n'arrivent jusqu'à toi.

« Nous nous battons pour notre religion, pour nos femmes, pour notre terre, et enfin pour sauver notre peau. Eux, ils se battent seulement pour sauver leur peau. »

Il nie que le conflit, de leur côté, ait une dimension sectaire : « Nous ne tuons aucun humain sur la base de la religion. "Celui qui tue une âme sans être en légitime défense, c'est comme s'il tuait toute l'humanité", dit le Coran. »

Il me parle de leur organisation. Baba Amr est commandé par un *majlis al-askari*, un Conseil militaire, géré par Abderrazzak Tlass et une dizaine d'autres officiers. Bassam est sous leurs ordres. Le Conseil tente d'inculquer un certain code de conduite, une certaine éthique aux hommes. Ils viennent de l'armée, où on leur a inculqué des pratiques extrêmes : ils sont prêts à faire n'importe quoi, tuer n'importe qui. Le Conseil militaire essaye de leur donner une formation morale. Dans l'armée, aussi, les soldats ont l'habitude de s'adresser aux gens de manière agressive, impolie. Le Conseil militaire essaye de changer ces habitudes, pour que les soldats ASL aient de bonnes relations avec les civils. Il me donne des exemples de comportements corrects : quand ils capturent des officiers, ils ne les maltraitent pas, mais discutent avec eux, ils leur demandent : « Pourquoi vous nous tuez ? »

Minuit. Raed montre son travail, qui semble reçu avec appréciation. Dans le couloir, les soldats sont toujours en train de démonter, nettoyer, graisser les armes. Encore un 5,56 mm belge, manié par un soldat joufflu en uniforme camouflage avec une barbe et un keffieh blanc au cou. Ces armes-là sont des achats, apportés du Liban.

On m'apprend une phrase : *Ash-shaab yurid isqat an-nizam*, «Le peuple veut la chute du régime».

Avant qu'on se couche, un des jeunes passe l'aspirateur dans la pièce. Attention touchante.

Ça fait drôle, après tant d'années, de dormir de nouveau dans une piaule pleine de jeunes combattants et de kalachs.

Vendredi 20 janvier

BABA AMR

Rêve : Mon ami E. me contacte, paniqué. Il va aller en prison pour possession de marijuana. Il a très peur de se retrouver en manque. Puis il est en cellule. Désespéré. Il a un voisin dont l'anus est situé au milieu du dos, et qui ne peut chier que couché à côté d'une chiotte turque : « Le pauvre. Il y en a qui n'ont pas de chance. » Visite avec une sorte d'assistante sociale. Longue tirade sans fin de E., qui parle de ses malheurs. Je n'écoute que d'une oreille et me mets à lire. Tout à coup je me rends compte qu'il sanglote furieusement. « Tout ça, c'est parce que je n'ai pas eu de père, il crie. C'est trop dur pour un enfant de grandir sans père. » Il trépigne, les traits crispés, je le regarde enfin et me rends compte que c'est un petit garçon blond, perdu dans sa crise de larmes et d'angoisse. Il ressemble à mon fils Emir. J'ouvre les bras, il vient, et je le serre contre moi tandis qu'il sanglote éperdument.

Petit déjeuner : omelette, tomates, *zaatar*, *labneh*, olives, fromages.

Un jeune gars entre, on se présente, et tout de suite il veut raconter une histoire : il a un ami qui a fait trois mois de prison à cause d'un rêve. Il avait rêvé qu'il conduisait le cortège du Président ; il l'a dit à des amis, un indic l'a dénoncé, et on l'a arrêté.

Tout le monde ici a une histoire, et dès qu'ils voient un étranger ils veulent la lui raconter.

Imad a pris une balle à travers la cheville gauche, par ricochet, lors d'une attaque de l'armée, en octobre, peu avant l'Aïd-el-Kébir. La balle a traversé l'articulation, et il n'a pas pu aller à une clinique. Il a été soigné par un pharmacien, ça s'est mal guéri, ça fait encore mal et il boite.

Journée magnifiquement ensoleillée. Du haut de l'immeuble, vue des toits de Baba Amr, beaucoup d'immeubles inachevés, mais parfois déjà partiellement habités comme partout en Syrie. Vers le nord-est, au-delà du stade al-Bassel, de grandes tours, dont une en cours de construction, où se cachent des snipers de l'armée. Puis les vergers, l'immense usine chimique et le lac, invisible. Homs centre est de l'autre côté, invisible aussi d'ici.

10 h 30. Visite de Haqura avec Imad. Déserté en effet sous le soleil froid, pas un seul habitant, les rues vides, mortes. Juste de temps en temps un soldat ASL, kalach ou RPG à l'épaule. Au sol : balles, douilles, éclats d'obus, détritus partout. Près du PC ASL d'hier, des ruelles sont fermées par des murs de sacs de sable. Un homme est venu chez lui prendre des affaires. Il est parti il y a quatre mois, les enfants ne supportaient pas les tirs.

L'extrémité du quartier est très détruite. Cette zone a été lourdement bombardée, surtout en novembre, il y a des impacts de mortier partout au sol. Maison de Hassan, entièrement ravagée. Je photographie Hassan devant les ruines, de dos avec son bébé sur l'épaule. Certains coins sont dangereux, des axes de tirs de snipers, on passe vite en rasant les murs. On entre un peu plus loin dans une autre maison détruite. Au sol des projectiles de batterie antiaérienne, la queue d'un obus de mortier, matériel russe, 82 mm. Par une fenêtre explosée, on peut apercevoir un poste de l'armée, à cinquante mètres. Il faut regarder furtivement, ceux-là tirent. Abu Yazan, un des soldats, tient son pistolet armé à la main. Hassan, lui, promène toujours son bébé. Maison. Trou dans murs, escaliers. Par une fenêtre, on voit bien le poste, une petite base en fait, un immeuble de trois étages avec un camion détruit garé juste à côté et des balcons couverts de sacs de sable criblés de trous. Ici aussi il faut regarder vite, à la sauvette. Le poste semble désert mais Abu Yazan est nerveux. Derrière, il y a le stade et les tours.

Comme partout au monde, des chats ont laissé leurs empreintes dans le béton.

Dans un appartement abandonné, des fragments de poupée, des plats, une échographie encore dans son enveloppe, sans doute faite au Liban.

Un autre appartement détruit, brûlé, criblé d'impacts. Dans une pièce entièrement brûlée, une télé fondue. Sur un lit, un cimetière d'ordinateurs. Un homme en faction, assis sur une chaise de bureau, kalach à la main, observe les positions de l'armée par un trou d'obus dans le mur.

On passe de l'autre côté des immeubles, côté front mais dans un coin de rue protégé par un autre bâtiment. Les façades des appartements où nous nous trouvions, au-dessus de nous, sont criblées d'impacts d'obus de mortiers ou de roquettes. Au rez-de-chaussée, une grande salle de gym abandonnée, aux murs roses et au sol en marbre gris, les machines couvertes de plâtre, dominées par un long miroir transpercé par une balle explosive. Dans un coin, un gros punching-ball se balance lentement.

———

12 h 30. Manifestation du vendredi. Ça commence à la mosquée du quartier. Les hommes prient; devant, des dizaines d'enfants scandent des slogans. Des activistes arrivent avec drapeaux et panneaux. À la fin de la prière, les hommes poussent le *takbir* et se déversent par vagues de la mosquée en scandant *Allahu akbar!* Le cortège se forme rapidement et se dirige vers la rue principale de Baba Amr. Aux carrefours, des soldats ASL veillent; au fond de l'avenue il y a une position de l'armée. Le cortège remonte l'avenue en agitant des drapeaux, des photos de *shahids*, des panneaux, certains slogans sont en anglais («WE WANT INTERNATIONAL PROTECTION [1]»). Hommes, jeunes, enfants, même des bébés avec leurs pères. Mais que des hommes : les femmes regardent des balcons ou du trottoir. Le cortège passe sous les tours à snipers, sans incident, puis devant une grande mosquée, la principale de Baba Amr je pense, et une école, et enfin tourne à droite. Présence ASL plus marquée, il y a un poste et pas mal d'hommes armés. On rejoint les autres cortèges de Baba Amr au milieu d'une grande rue pour une manifestation monstre : des milliers d'hommes chantent les slogans, dansent en lignes, et poussent le *takbir*; puis vient la musique, les tambours aussi, avec des danses en cercle autour, les jeunes continuent aussi de danser le *zikr* en ligne, en criant les slogans. Au centre de la manifestation, un grand ovale humain se forme autour de deux activistes perchés sur une échelle

———

1. «Nous voulons une protection internationale.»

avec des micros, qui lancent les slogans. Autour d'eux, il y a des tambours et les premiers danseurs, des panneaux en anglais adressés à la Ligue arabe ; sur tout un côté sont groupées les femmes, une mer de foulards blancs, rose pâle ou noirs. Beaucoup d'entre elles portent des bébés et des ballons en forme de cœur. Elles applaudissent avec enthousiasme, crient, poussent des youyous et scandent aussi les slogans. Des hommes agitent des chaussures. Les toits et les balcons sont bondés. Sur l'un d'eux, des activistes filment. Tout ça dans une ambiance de liesse folle, électrique, les gens sont survoltés, un niveau d'énergie joyeuse et désespérée comme je n'en ai jamais vu.

Ce vendredi est dédié « aux détenus politiques ».

Rencontre au hasard de G., un sympathique monsieur franco-syrien, qui est d'Insha'at mais a vécu quinze ans à Montpellier. Il part dans deux ou trois jours, sa femme n'en peut plus. « S'ils ne tiraient pas sur les manifestants, tout Homs serait dans la rue. » Il m'explique que le leader de la manifestation est un étudiant de l'université, en troisième année d'études d'ingénieur.

Le batteur de la manifestation est un Gitan. Ici, comme ailleurs, ils sont souvent musiciens.

Je retrouve Raed dans la rue, embrouillé dans une altercation avec Abu Hanin, un des dirigeants du bureau de l'information. Abu Hanin nous reproche de ne pas vouloir travailler avec eux ; Raed explique que nous allons finir avec l'ASL, puis viendrons volontiers les voir. G. s'en mêle un peu, traduit, commente.

Fin de la manifestation. Les gens se dispersent. Rafales sur la rue principale, juste quand on sort. Des femmes courent. Les tirs viennent de l'est, d'un pont qui mène au quartier alaouite. L'avenue sépare Baba Amr d'Insha'at. Il y a un mois, la traversée de cette avenue était très risquée. Mais depuis que l'autre barrage, à l'ouest, a été évacué, il y a trois semaines, c'est plus calme.

Après la manifestation, nous demandons à Imad si nous pouvons rencontrer Abderrazzak Tlass, un des principaux dirigeants militaires de Homs. G., le monsieur franco-syrien, accepte de nous accompagner pour me servir de traducteur. Nous trouvons Tlass chez lui, du premier coup.

14 h. Abderrazzak Tlass, dirigeant du Conseil militaire de Baba Amr. Jeune gars, barbu, en survêtement. Il nous reçoit dans une pièce au rez-de-chaussée d'un immeuble, avec des kalachs dans un coin et un drapeau de la *katiba* al-Faruk au mur. Il ne veut pas donner d'interview : c'est par principe, leurs propres journalistes suffisent. Il est aussi paranoïaque parce que des journalistes étrangers, d'après lui, ont déformé ses propos dans une optique prorégime. Raed essaye de le convaincre, j'argumente aussi avec l'aide de G. qui nous a gentiment accompagnés. Tlass, poliment : «Nous avons des doutes sur les interviews. La situation est tendue. Nous n'avons pas confiance dans les journalistes étrangers.» Il ne veut pas parler des questions militaires. «Votre présence ici nous pose des problèmes.»

Imad : «Ils ont des difficultés internes spécifiques à eux, ils ne veulent pas en parler.»

Tlass : «La période où on montrait est passée. Si vos peuples n'ont pas compris depuis onze mois, ce n'est plus la peine.» Conclusion : «*Bukra, inch'Allah* [1].»

---

1. «Demain, si Dieu le veut.»

Conversation décousue. Je relance Abderrazzak Tlass : accepterait-il au moins de parler de son propre parcours personnel ? Oui, il accepte. Il a vingt-six ans, et il est de Rastan. Il était *mulazim awwal* dans la 5ᵉ division, infanterie, en poste à Deraa. Ses collègues ont participé à la répression, mais lui a refusé et vers février-mars a obtenu un changement de poste. Il a alors commencé à participer aux manifestations, en civil, en sortant du camp. Il parle de plusieurs massacres de manifestants, dont un le 24 février à Sanzamin, auquel il n'a pas assisté ; *idem* pour une manifestation à Anchel, fin février, après laquelle il a reçu un appel pour donner du sang, pour les blessés. Ces manifestations ont été réprimées par la 9ᵉ division, les *mukhabarat* militaires, et la sécurité d'État. Abderrazzak Tlass a été très affecté par tous ces blessés, par les difficultés pour soigner, par les massacres. Il n'a jamais cru la propagande du régime. « Dans son principe l'armée devrait être neutre. Elle devrait protéger le peuple, la Nation. Et là-bas, on a vu le contraire. Les barrages tiraient sur les gens. Deraa était sinistrée. Les gens essayent de convaincre l'armée de se joindre à eux, contre les *mukhabarat*. Mais ça n'a pas marché. Parce que les officiers ont donné l'ordre d'attaquer. Ce sont des alliés d'Assad, du régime. La majorité était alaouite. Quant aux sunnites, ils obéissent ou ils vont en prison. »

Quand il a d'abord pensé à déserter, il a voulu le faire en groupe. Avec d'autres officiers, il a tenté d'organiser la mutinerie de deux *liwas* et d'une *katiba*[1] appartenant aux 5ᵉ, 9ᵉ et 15ᵉ divisions. Mais finalement les autres officiers

1. La *liwa* est une brigade, la *katiba* un bataillon. Abderrazzak Tlass et ses collègues planifiaient donc une mutinerie de dix mille à douze mille hommes.

ont pris peur, à cause de l'aviation, et ont fait marche arrière. Alors il est parti seul, avec son arme. «Je suis le premier officier à avoir déserté de l'armée syrienne. Beaucoup de gens ont essayé de me convaincre de ne pas le faire : "Comment tu peux faire ça, comment tu peux même imaginer ça, déserter ?"

«J'ai déserté en juin, à Deraa. Je l'ai fait pour ne pas tirer sur les gens, et j'ai tout de suite pris les armes. J'ai vu qu'on ne peut pas déboulonner ce régime sans armes. Je suis venu à Rastan, où l'armée attaquait, et j'ai fondé la *katiba* Khaled ibn Walid.» Tlass a formé la *katiba* avec sept officiers et une quarantaine de sous-officiers. Quand elle a été opérationnelle, il l'a laissée aux mains d'autres officiers et est venu, vers la deuxième semaine de juillet, former la *katiba* al-Faruk, ici à Baba Amr. En août, elle était opérationnelle à son tour.

Abderrazzak Tlass, ici, présente les faits à sa manière. Le ralliement plus tardif d'officiers de rang plus élevé que les officiers subordonnés qui avaient déserté en premier et formé les premières katibas *de l'Armée libre a provoqué de fortes tensions, les officiers supérieurs estimant que le commandement leur revenait, ce que les officiers subordonnés, qui commandaient depuis des mois, acceptaient avec difficulté. Abderrazzak Tlass a en fait été mis à l'écart de la* katiba *Khaled ibn Walid pour des raisons de cet ordre. Ambitieux, il se donne aussi le beau rôle au sein de la* katiba *al-Faruk, ce que d'autres interlocuteurs contestent.*

L'actuel dirigeant de la *katiba* Khaled ibn Walid est le *raïd* [1] Ahmed Bahbouh.

Abderrazzak Tlass pense que le nombre de soldats justifierait qu'al-Faruk soit une *liwa*, mais on ne veut pas

1. Commandant.

changer l'appellation. Il pense que la *katiba* Khaled ibn Walid a plus de quatre ou cinq mille hommes, ce qui en fait une *liwa* aussi.

La *katiba* al-Faruk est responsable pour Homs ville, Telbisi, et la zone d'al-Qusayr. La *katiba* Khaled ibn Walid contrôle Rastan et les villages autour. La *katiba* al-Faruk est commandée par un Conseil militaire, mais Abderrazzak Tlass a la décision finale.

Je lui pose une question sur ses relations avec le colonel Riad al-Assaad [*le commandant de l'Armée syrienne libre, basé à Antioche en Turquie*] : « Pour l'instant, je ne peux pas répondre. »

Discussion plus libre avec Imad. On nous raconte l'histoire de la base de l'armée qu'on a vue ce matin, avec le camion brûlé à côté. L'ASL avait en fait capturé le capitaine qui la commandait. Mais ils se sont bien entendus avec lui, et ils l'ont libéré à condition qu'il évacue le poste. Ce qu'il a fait, se retirant dans les tours plus loin. Maintenant il observe une trêve avec l'ASL.

Abderrazzak Tlass nous raconte la visite des observateurs de la Ligue arabe. Ils sont venus, mais de l'autre côté de la grande avenue. Au début, ils n'osaient pas traverser, à cause des tirs ; puis, deux jours plus tard, ils ont traversé, à cinq ou huit, sans accompagnateurs. À cette époque — c'était la première semaine de la mission des observateurs [*soit vers la fin décembre 2011*] — le quartier était encerclé, sous pression. Les observateurs sont venus pour les convaincre de négocier avec l'armée. L'ASL a répondu : « Vous êtes là pour observer et rendre compte de ce que l'armée nous fait ! » En fait les observateurs voulaient négocier le respect des clauses de l'accord [*avec le gouvernement syrien*] en échange d'un retrait de l'ASL.

Déjeuner avec Abderrazzak Tlass. Œufs brouillés, œuf avec viande, houmous, tomates, *zaatar*. Le pain est réchauffé en le posant par-dessus ou en le collant sur le flanc de la *sobia*.

À un moment, G. reçoit un appel de sa femme, qui lui ordonne de rentrer à la maison. Il nous quitte en s'excusant, et c'est de nouveau Raed qui finira de traduire la discussion.

On essaye de convaincre Abderrazzak Tlass de nous montrer les soldats blessés d'hier [*ceux de la clinique d'Abu Bari*]. D'abord il nous parle d'un informateur, un *shabbiha* alaouite qui donnait des informations sur les caches d'armes de l'ASL. Puis on nous dit qu'ils ont une prison secrète, qu'ils ne veulent pas nous montrer. Les soldats y sont aussi.

Moi : « C'est important que vous montriez au monde que vous êtes des gens décents, des patriotes, que vous traitez bien les ennemis blessés. Que vous n'êtes pas al-Qaida. »

Abderrazzak Tlass : « Si ça continue, on va devenir comme al-Qaida. Si le monde nous abandonne, et soutient al-Assad, on va attaquer Israël et d'autres pays, internationaliser le conflit, pour forcer la communauté internationale à intervenir. On va déclarer le djihad. » Il affirme que ce n'est pas une vision personnelle, que le Conseil militaire de Homs en a discuté et que tous sont d'accord.

Il veut une intervention militaire de l'OTAN. « S'il n'y a pas une intervention de l'OTAN, on va faire un appel au djihad dans tout le monde musulman. Là, des groupes vont venir du monde musulman entier. Et ça sera la guerre contre le *kufr* [*l'impiété*], et donc ça ne se limitera pas à la question

74

syrienne. Les choses nous échapperont. Et la lutte contre Israël reprendra.»

Abderrazzak Tlass explique que l'idée est de faire pression sur l'Occident, pour que l'Occident intervienne avant que ça devienne une guerre régionale. C'est une vision bien sûr très naïve. Il croit que ça peut forcer l'Europe et les États-Unis à intervenir. Ils sont tous convaincus que les États-Unis maintiennent Assad au pouvoir pour soutenir Israël. Ils espèrent leur forcer la main en menaçant de provoquer un chaos régional.

«On a tout essayé et rien ne marche. Ce vendredi, on l'a nommé le "vendredi d'avant la déclaration du djihad". Ça fait deux mois qu'on essaye de retarder l'appel au djihad, mais une majorité a voté pour. On est au service du peuple, on doit suivre.»

À la manifestation, comme noté plus haut, on m'avait dit que ce vendredi avait été dédié «aux détenus politiques». Ce système de nomination des jours, surtout des vendredis, se fait sur divers forums, sur Facebook ou d'autres sites, sur la base de votes des internautes. Il semble qu'il y ait des sites concurrents, d'où l'incohérence entre les deux «noms» de ce vendredi. Le faible nombre de votants rend la chose peu représentative de l'opinion publique de la Syrie en révolte.

Abderrazzak Tlass insiste, se référant au fait que les manifestants aujourd'hui criaient «*Labayk, labayk, labayk ya'Allah!*». C'est une formule rituelle pour l'arrivée à La Mecque, qui veut dire : «Dieu me voici!» (*Labayk* veut dire : «Nous nous soumettons à toi»). Ça signifie donc qu'ils sont prêts à aller à la mort, qu'ils sont prêts pour le djihad.

Quand on part, Abderrazzak Tlass nous raccompagne en chantonnant : «Dieu, allons au djihad.» Grands rires de toutes parts.

Dans la rue, avant de nous séparer, on lui pose de nouveau la question sur ses rapports avec Riad al-Assaad : «L'ASL, elle est à l'intérieur [*du pays*], c'est tout.» Il veut dire : On n'a pas d'ordres à prendre de l'extérieur. «Lui comme moi, on prend nos ordres du peuple. Si on veut aller contre, on est des traîtres.» Sur la question de la déclaration du djihad, il ne connaît pas l'opinion de Riad. Ils ont de grosses difficultés de communication.

Un autre point important qui n'a pas été abordé durant cette conversation est le fait que Tlass est un parent lointain de Mustafa Tlass, le tout-puissant ministre de la Défense et bras droit, trente ans durant, de Hafez al-Assad. Même si Tlass est à la retraite depuis 2006, sa famille élargie, présente à tous les niveaux de l'armée, reste un des plus puissants clans sunnites du pays, et la défection d'un de ses membres représente une rupture importante pour le régime. La chaîne de télévision Dunya TV a annoncé la mort d'Abderrazzak Tlass le 9 février, mais l'ASL ne l'a jamais confirmée.

Peu de gens à la tombée du soir. Froid glacial. Hormis quelques avenues, les immeubles sont tous très rapprochés, à peine la place pour deux voitures de se croiser, sans trottoirs. Impression oppressante quand on circule dans ces rues, comme au fond d'un canyon étroit, louvoyant entre les véhicules garés, les motos et les gens.

---

16 h 30. Muhammad Abu Sayyef, coordinateur humanitaire de Baba Amr. Ingénieur en électricité sans travail, volontaire pour établir des listes de familles nécessiteuses

et coordonner la distribution de l'aide. Barbe poivre et sel coupée court, gants sans doigts, bonnet laine blanc, survêtement blanc et gris sous une veste de cuir noire.

Il nous explique : Hausse du dollar, 30 %. Hausse des prix des produits de première nécessité, 20 %, parce que dangereux de les apporter jusqu'au quartier. Donc hausse totale des prix : 50 %. Avant, les usines livraient leurs produits. Maintenant, les grossistes et les semi-grossistes doivent aller les chercher eux-mêmes.

Exemple de la bouteille de gaz. Le prix normal est de 250 livres syriennes [*2,80 euros au taux actuel*]. C'est toujours le prix à Zahra, Akrama, Nezha (quartiers prorégime). Mais il n'y a plus de distribution d'État à Baba Amr. Les privés rapportent les bouteilles à leurs propres risques. Ainsi, le prix à Baba Amr varie entre 500 et 900 SYP la bouteille [*5,60 et 10 euros*].

Un homme nommé Abdelkafi L., un ami d'Imad, a été tué récemment pour du gaz. Il y a dix jours, il est parti en chercher, pour le revendre, dans une zone limitrophe entre des quartiers pro- et antirégime. Là, on trouve du gaz à un prix plus élevé que le prix officiel, mais plus bas qu'à Baba Amr, il pouvait ainsi se faire une marge. Ils étaient deux dans la voiture, une petite camionnette Suzuki, mais ce sont des zones où il y a des tirs : Abdelkafi a été blessé à la jambe et arrêté ; son ami a réussi à s'enfuir. Abdelkafi a été amené à l'hôpital militaire — l'ASL a eu l'information par des infirmiers sympathisants, envoyés se renseigner. Il y a trois jours, ils ont reçu son corps, avec des traces de torture partout, à l'électricité, etc. A priori il a été tué à l'hôpital militaire. Le cas est documenté, le cadavre a été montré à al-Jazeera.

Quand quelqu'un est enlevé ou arrêté, ils payent pour savoir où il est, et parfois pour récupérer le corps.

————

Retour à la première clinique. On nous interdit d'entrer. Violente engueulade entre Raed et Abu Bari, le gros pseudo-mujahedin barbu, arrogant et stupide. « Je me fous et contre-fous d'Abderrazzak Tlass ! (Hier il disait le contraire). C'est un militaire, nous on est des civils. Je suis tellement en colère que je hais tout le monde ! » Imad ne sait pas qui l'a nommé responsable. C'est un ancien plâtrier, sans aucune formation médicale.

C'est Imad qui a créé la deuxième clinique qu'on a vue, dans l'appartement, parce qu'il en avait marre de la façon dont la première est gérée. Il veut une clinique sous le contrôle des médecins.

On apprend que c'est Abu Bari qui a monté la première clinique, et c'est lui qui a fait venir les médecins. C'est pour ça qu'il garde le contrôle de la structure.

————

17 h 30. Après la manifestation du soir, on est convoqués par le Conseil militaire. Les types venus nous chercher sont nerveux, et la tension monte vite. Raed a peur qu'on lui efface ses photos. J'envoie par précaution un SMS au *Monde* pour les prévenir. Mais en fait c'est une prise de contact, très cordiale, dans une salle au fond d'une école. Une quinzaine d'hommes sont assis contre les murs ; un officier mène la discussion, à qui Raed a déjà eu affaire lors de la manifestation de midi. Il se nomme Muhannad al-Oumar. Un homme calme,

sérieux, intelligent. Imad le briefe sur le problème de la clinique d'Abu Bari, et Muhannad dit qu'il va régler ça. Puis il pose une première question : Que pense le gouvernement français de la mort de Gilles Jacquier ? On explique les déclarations, plutôt méfiantes à l'égard du régime, de Juppé. Puis on demande leur avis. Ce sont les *mukhabarat*, ils répondent. Mais ils ne pensent pas que les journalistes étaient visés : pour eux, les *mukhabarat* visaient la manifestation pro-Assad, pour que des journalistes filment ce massacre et ainsi accréditent la thèse officielle du terrorisme.

Puis Raed demande des permissions spécifiques : accès libre à la clinique d'Abu Bari, et aux prisonniers.

Le soldat blessé serait un sous-officier des *mukhabarat*. Ils sont d'accord pour qu'on le voie, et acceptent que ce soit seul à seul pour nous assurer qu'il ne subit aucune pression.

Muhannad al-Oumar est un civil qui a rallié l'ASL. Il participe aux actions militaires et fait du soutien logistique. Il est membre du *majlis al-askari*, le Conseil militaire. Il y a peu de civils dans le Conseil, seulement trois membres sur les vingt-quatre au total. Le Conseil dirige toute la *katiba* al-Faruk, sur l'ensemble de sa zone d'opérations, Homs, Qusayr, etc. Muhannad ne veut pas dire combien d'hommes ils ont. Il est déjà recherché par les *mukhabarat*, c'est pourquoi il n'a aucun problème pour qu'on note ou publie son nom. De nouveau il me frappe par son maintien calme, raisonnable, sensé, posé.

———

Retour en voiture avec Imad à l'appartement des hommes de Hassan. Gros coup d'accélérateur à un carrefour, à cause des snipers.

21 h 45. Il y a sept mois, raconte Imad, lui et ses copains ont brûlé un débit de bières. Le propriétaire était alaouite, il photographiait les manifestations et l'ASL l'accusait de transmettre des informations aux *mukhabarat*.

Samedi 21 janvier

BABA AMR

Comme toutes les nuits, de longs rêves denses, interminables, très structurés. Devant ma maison, la terrasse de Castellaras ; le grand pot aux fraises est toujours là, je les arrose, mais elles ne sont pas bonnes, sans goût, impossibles à manger ; par contre, il y a un nouveau rameau, des framboises, rouges et pulpeuses ; je les cueille une par une, il y en a quatre, et je n'ai pas l'intention de partager. Après, ça continue, dans de multiples espaces.

––––––

Al-maktab el-al'iilami, le bureau de l'information. Jeddi en est un des responsables. Ils ont le contrôle de l'information à Baba Amr. Insistent depuis le début pour nous encadrer, pour encadrer tous les journalistes ; en principe, ils contrôlent l'accès des journalistes à Baba Amr, et dans le quartier l'accès aux lieux stratégiques, comme les manifestations ou la clinique. Grâce aux contacts de Raed, nous sommes entrés par l'ASL, en les contournant ; depuis son altercation avec Jeddi, puis hier à la manifestation avec Abu Hanin, on s'est affranchis d'eux, et on reste avec l'ASL. Ça crée des tensions, mais c'est bien mieux pour nous. On ira les voir à la fin, quand on aura fait tout ce qui nous intéresse. Avec eux, on ne verrait que ce qu'ils voudraient bien qu'on voie, et ils feraient sans doute comme si l'ASL n'existait pas, contrôle du discours assez basique et peu sophistiqué, digne des *mukhabarat* dont les méthodes les ont imbibés depuis l'enfance. Comme disait G. hier à la manifestation, lors de l'altercation avec Abu Hanin, dans son si joli français : «Il faut les comprendre, monsieur. Quarante ans de peur!» Mais avant de tuer le vrai Bachar, il faudra qu'ils tuent le Bachar dans leurs têtes.

Le bureau de l'information semblait craindre que des images de l'ASL ne servent la propagande du régime, accréditant la thèse que le gouvernement combat des terroristes. À l'époque de notre visite, il était encore difficile de leur faire comprendre qu'ils ne pouvaient pas ainsi simplement nier la dimension armée du soulèvement. L'ASL, elle, nous a librement laissés observer et photographier ses armes, ses hommes, et ses combats. Il faut ajouter qu'à partir du début du bombardement massif de Homs, le 3 février, ces nuances ont perdu toute importance.

12 h 45. Sortie. Passage au PC de Hassan qui me promet un traducteur. Puis on part avec Imad dans une rue commerçante au-delà de l'avenue centrale, plutôt animée, avec des taxis, des boutiques. C'est le vieux Baba Amr.

Un monsieur âgé à vélo : «Ça s'est beaucoup amélioré ici.» On discute des libérations de prisonniers promises par Bachar al-Assad à la Ligue arabe. Un autre monsieur, Abu Addil, explique que son frère de cinquante ans est détenu depuis trois mois. Trois personnes arrêtées avec lui ont été rendues mortes. Lui n'a pas été libéré mais transféré à

Damas, dans une prison secrète. «Il a été arrêté chez lui, pour rien. Ici, en Syrie, il ne faut pas demander pourquoi.»

On récupère mon jeune traducteur, Adam, un gars de l'ASL. Son anglais est approximatif mais ça ira. Plus loin, à un carrefour, un barrage ASL contrôle la circulation, parfois les conducteurs. Discussion. Avec plusieurs soldats, dans une pièce, on regarde des cartes sur l'ordinateur de Raed, et ils m'expliquent où sont les positions de l'armée. Une grosse détonation dehors, un mortier, suivi de tirs, le checkpoint plus haut qui ouvre le feu.

Un jeune soldat du barrage, Fadi, est alaouite. Adam traduit tant bien que mal. Fadi est de Djiblaya, un village près de Tartous. Il a rejoint l'ASL en juillet-août, à Homs. Parce qu'il a vu l'armée tuer des civils, il s'est dit : «*I am not with them, I am with these people. It is not : I am Alaoui, so I am with Alaoui. No. If they do wrong, I try to do right*[1].»
Dans la rue, ça continue de tirer.

Fadi était *mulazim awwal*. Un de ses amis, un *mulazim awwal* sunnite nommé Ali, a refusé un ordre de tuer des civils, à Kfar Aaya, et on lui a tiré une balle dans le dos. Il a survécu, mais est resté paralysé. Fadi a déserté deux semaines plus tard. Il n'a pas annoncé sa désertion, pour protéger sa famille. Seul son frère sait ; au début, il était contre, mais il a fini par accepter. Je demande : «Comment l'ASL t'a-t-elle accepté, sans te prendre pour un espion ou un agent provocateur?» Il avait déjà un ami dans l'ASL, qui s'est porté garant pour lui. «*Now I am very happy, not like*

---

1. «Je ne suis pas avec eux, je suis avec ces gens. Ce n'est pas : Je suis alaouite, donc je suis avec les alaouites. Non. S'ils font mal, j'essaye de faire bien.»

before. When you are in Army, if you know a big man, you live well. If you don't, you are shit [1].»

Ici à Baba Amr, il y a cinq ou six alaouites dans l'ASL. Lui n'a aucun problème. «*I never heard: We want to kill Alaoui. Only specific people who have committed crimes* [2].» Des alaouites prennent des femmes en otage, et cela le rend malade. Récemment, l'ASL a capturé un Alaouite qu'il connaissait; il n'avait fait aucun mal, alors ils l'ont relâché. Ils ont d'abord essayé de l'échanger, mais l'autre côté a refusé, et ils l'ont relâché quand même: «*I was very pleased to see this* [3].»

On sort. Les balles continuent à claquer. La rue où on se trouve est sûre, mais plus loin c'est à découvert.

———

Visite avec Imad d'un quartier à côté de la voie ferrée, derrière la mosquée Hamzi. De nombreux bâtiments détruits. On monte au quatrième avec des habitants, dans un appartement criblé d'impacts de balles et de munitions de BTR, du 14,5 mm. Le mur de la cuisine est troué de partout. Le propriétaire, Abu Abdu, a construit un autre mur, à l'intérieur, pour faire une pièce, mais ils ont de nouveau tiré à travers. Certains impacts ont même traversé trois murs pour finir chez son voisin. Abu Abdu a amené sa femme et ses enfants dans sa famille à elle, mais il y a trop d'autres femmes là, pas de place, lui ne peut pas y rester. Il pense

1. «Maintenant je suis très heureux, pas comme avant. Quand tu es dans l'armée, si tu connais un homme important, tu vis bien. Sinon, tu es de la merde.»
2. «Je n'ai jamais entendu: nous voulons tuer les alaouites. Seulement des personnes précises qui ont commis des crimes.»
3. «J'étais très heureux de voir ceci.»

reconstruire le mur une deuxième fois et le doubler de sacs de sable, pour pouvoir y habiter.

Par les trous et une fenêtre, on voit le poste, des sacs de sable bleus disposés autour d'un passage sur la voie ferrée surélevée. C'est le barrage du carrefour de Kfar Aaya. Un pick-up en sort et s'éloigne. Je le photographie discrètement par un trou d'obus, au zoom. Sur la photo on voit aussi la tourelle d'un blindé, apparemment recouvert de plastique bleu, canon braqué droit vers nous.

Dans la rue avec des habitants. Quartier dévasté, toutes les maisons face au barrage sont criblées d'impacts de gros calibres et de bombes. On me montre les restes d'un obus, une sorte de bombe à sous-munitions (*cluster bomb*).

Sept morts dans le quartier, seize personnes arrêtées. Les soldats viennent du barrage, défoncent les portes et arrêtent des gens. Peu d'ASL par ici, ils ne peuvent pas les en empêcher.

Ce coin est calme depuis deux vendredis, à peu près donc le 6 janvier, époque de la venue des observateurs arabes à Homs. Mais voilà vingt jours, il y a eu trois jours très meurtriers : le premier jour, dix-huit morts, le deuxième, neuf morts, le troisième, sept morts. Des tirs sur les enterrements ont fait des blessés. Un homme me montre la cicatrice de la balle qui lui est passée à travers la jambe.

Deux soldats ASL arrivent à moto. Déserteurs récents. Montrent leurs cartes de l'armée et posent fièrement avec, à visage découvert.

L'ASL peut difficilement s'implanter ici à cause des tours [*de l'université*], qui dominent le quartier, et des snipers. Ils ne viennent en force que quand il y a un combat. Les tours sont imprenables, protégées par des BRDM et deux cents soldats qui défendent les snipers dans les étages.

Mosquée Hamzi. Toute neuve, encore inachevée et pas encore consacrée. Criblée d'impacts de balles, quelques obus, les fenêtres éclatées. Vue à travers sur les tours. On entre par-derrière en faisant le mur, sous les yeux des potentiels snipers, situation légèrement inconfortable. Mais rien ne se passe. L'intérieur est vaste et nu, presque achevé, pas tout à fait. On piétine le verre brisé. On monte sur le toit, autour de la coupole : on ne va pas du côté des tours, pas la peine de tenter le diable.

Dans la voiture, discussion avec Imad sur l'accès à la clinique [d'Abu Bari]. Imad ne veut pas de problèmes. On doit avoir la permission d'Abu Khattab pour entrer.

––––––––

Retour au Conseil militaire. Un homme raconte : sa nièce S. Sh., vingt-deux ans, étudiante en littérature arabe et coiffeuse, a été enlevée par les forces de sécurité, il y a quatre mois et demi, en août. Elle se rendait à son salon de coiffure à Insha'at, près de la mosquée Kouba. Il n'y avait aucune raison de l'arrêter, elle n'avait rien fait ; elle a été prise à 8 h du matin, bien avant la manifestation. Des gens libérés l'ont vue et leur ont dit qu'elle était chez les *mukhabarat* de l'aviation, ce que l'*amid*[1], quand des cheikhs sont allés le voir comme ils le font pour les cas de femmes enlevées, a confirmé. L'*amid* des *mukhabarat* de l'aviation s'appelle Jawdad, il est druze. Quant au général qui commande Homs, lui, c'est un alaouite qui s'appelle Yussef Wannous.

1. Général de brigade.

Pendant qu'on parle, des rafales. C'est le barrage qu'on a vu, celui de Kfar Aaya, qui tire.

Grande discussion : les officiers connaissent des filles qui ont été maltraitées, violées, mais les règles sociales font que les familles ne nous laisseront jamais leur parler. La honte est trop grande. Raed essaye de les convaincre, encore une fois.

On nous appelle pour voir l'enterrement d'un *shahid*. Le temps qu'on arrive à la mosquée, il est parti. On nous dit qu'il a été tué par les rafales qu'on a entendues, mais ça semble peu crédible.

———

Imad nous amène à son centre de soins. Les deux prisonniers sont là, couchés sous des couvertures. Un docteur soigne la cheville de l'un d'eux, traversée par une balle. L'autre est blessé à la main. Ils sont jeunes, un peu barbus, des sunnites d'Idlib. Celui qui est blessé à la main s'appelle Ahmad H. et a vingt ans. Il raconte : ils étaient venus à Baba Amr dans une ambulance militaire pour récupérer un soldat blessé, le vendredi 13. Leurs propres camarades, depuis la tour sur la rue Brazil, leur ont tiré dessus, avant qu'ils n'atteignent le blessé. Alors ils ont fait demi-tour et sont venus à Baba Amr. Dès qu'ils seront guéris, ils rejoindront l'ASL.

Les docteurs changent les pansements. Ahmad a perdu le petit doigt de la main droite. Supporte stoïquement la procédure, grimace à peine.

L'art de prendre des photos correctes sans un seul visage.

Après les soins, on se retrouve dans le bureau avec Imad et le médecin. Celui-ci explique pourquoi il ne veut pas travailler à l'autre point de santé : c'est impossible à cause du monopole d'Abu Bari. Les médecins n'ont pas la parole, y compris Abu Khattab. On décide d'y retourner voir la situation, après les promesses [*de Muhannad al-Oumar*].

Petite promenade de la clinique d'Imad à celle d'Abu Bari, toujours avec Adam. À un coin de rue, on mange du *foul*, avec les doigts dans des petits bols, debout devant le vendeur ambulant. Raed va acheter des *sfihas* à la viande et au fromage, on boit aussi du jus de *foul* comme soupe. Au fond de l'avenue, le soleil se couche, teignant la grisaille d'orange. Quelques tirs claquent encore.

17 h 30. Arrivée à la clinique. Nouvelle engueulade très violente entre Raed et Abu Bari, qui nous interdit catégoriquement l'accès. Il dit à ses amis que le Conseil militaire nous interdit l'accès. Raed appelle Muhannad, puis le passe à Abu Bari ; Abu Bari raccroche sans nous le repasser et dit que Muhannad confirme. « Le *majlis al-askari* et Muhannad vous l'interdisent. » Le ton monte. Raed : « Vous vous battez contre Bachar pour le remplacer par le même autoritarisme. Ici c'est toi qui contrôles tout, qui décides tout, les médecins ferment leurs gueules ; tu décides tout contre l'avis du Conseil militaire, contre l'avis des médecins. » — « Puisqu'on est pire que le régime, tu ne rentreras pas. » Passe aux menaces. « Si tu restes ici, tu verras des choses que tu ne veux pas. » — « Tu me menaces ? » — « Oui, je te menace. » On s'en va donc, un peu plus loin, attendre Imad qui passe nous récupérer en voiture.

18 h. Imad nous amène à la troisième clinique, la vraie, où ils sont en train d'installer un bloc opératoire, en cas de blocus de Baba Amr.

Al-Muthanna, un pharmacien, connaît Raed de sa dernière visite. [*Il insiste, comme tous ses confrères, sur la question du risque pour le personnel soignant.*] « C'est très dangereux d'être médecin ou pharmacien de Baba Amr. Si on sort du quartier, ils peuvent nous arrêter et nous détenir trois à six mois, juste pour nous empêcher de travailler. » Trois médecins de Baba Amr ont été arrêtés, ainsi que deux pharmaciens et des infirmiers. La plupart viennent d'être libérés. Un des pharmaciens, Djamal F., a été tué durant sa détention, il y a quatre mois.

Gestuelle : « Ils regardent tes papiers, ils voient : Baba Amr, et ils t'arrêtent. » Al-Muthanna n'est pas sorti du quartier depuis six mois.

Abu Ibrahim entre, un infirmier qui a été incarcéré en septembre. Il travaillait à l'hôpital national. Dénoncé pour avoir soigné des révolutionnaires et arrêté. Mime la scène à grands gestes en racontant : battu à coups de bâton, les yeux bandés, « Toi, viens ici ! », grandes claques. Il a été fouetté avec un câble en caoutchouc épais et électrocuté. Il nous montre les cicatrices des coups aux jambes. Les blessures se sont infectées car il n'y avait aucune hygiène, pas de douche.

Il a été arrêté par l'armée, après il ne sait pas où il a été transféré car il avait les yeux bandés. (Peur qu'on puisse l'identifier, ne veut pas donner de détails.)

Mais dit que son traitement a été relativement O.K. Il a eu droit à un traitement de faveur parce que infirmier : ils ne lui ont pas brisé les os. Après, il a pu soigner d'autres prisonniers.

Détail des tortures : le premier jour, il a été maltraité neuf heures. Puis au bout de quatre jours, maltraité de nouveau. Ceci est dû aux rotations des interrogateurs. Il a été interrogé trois fois en douze jours, maltraité chaque fois. Suspendu au mur par un poignet, avec une cordelette en plastique, sur la pointe des pieds, pour quatre à cinq heures : *ash-shabah*, une méthode spécifique. Il mime la position. Il est resté en prison un mois. Relâché parce qu'ils n'ont rien trouvé ni rien pu prouver ; il a tout nié, et ils ont fini par le lâcher.

Deux autres hommes dans la pièce. Abu Abdallah, un médecin militaire qui n'est pas retourné au travail depuis fin décembre, et Abu Salim, un médecin des *mukhabarat* militaires, qui n'est pas rentré depuis novembre. C'est Abu Salim qui dirige cette clinique. Il se considère comme déserteur, mais ne l'a pas annoncé. Il est né ici, ses amis sont ici. En voyant le traitement infligé au quartier et aux prisonniers, il a décidé de rejoindre les gens et de vivre avec eux, ou bien de mourir avec eux.

Il a travaillé à Damas, dans cinq services différents, puis à Lattaquié. Il est depuis deux ans chez les *mukhabarat*, et a vu comment la situation a évolué avant et après la révolution. Il peut témoigner des tortures.

« Quelle est la mission d'un médecin au sein des *mukhabarat* ? Je vais vous expliquer.

« Sa première mission : maintenir en vie les personnes soumises à la torture pour qu'elles puissent être torturées le plus longtemps possible.

« La deuxième : dans le cas où la personne interrogée perd conscience, lui apporter les premiers soins pour que l'interrogatoire puisse continuer.

« La troisième : superviser l'utilisation des produits psychotropes durant l'interrogatoire. Chlorpromazine, diazépam ou Valium, kétamine ou Kétalar, et alcool à 90°, un litre dans le nez ou les yeux, ou injecté en sous-cutané — l'alcool est utilisé pour réveiller mais aussi pour torturer.

« La quatrième : si la personne torturée a dépassé son seuil de résistance, le médecin l'amène à l'hôpital militaire. Avant la révolution, le patient était menotté dans le dos ; depuis la révolution, le patient a les yeux bandés et est attaché au médecin. Avant, tous les patients en danger de mort étaient soignés ; maintenant, seulement les prisonniers importants ; les autres, on les laisse mourir. La décision n'est pas entre les mains du médecin : s'il voit que le prisonnier est en danger de mort, il envoie un rapport au responsable qui décide et signe l'accord pour le transfert.

« À l'hopital, le médecin soignant ne peut s'adresser au patient ; s'il a une question, il doit s'adresser au médecin des *mukhabarat*, qui demande au patient, puis répond au médecin.

« Depuis le début de la révolution, si un prisonnier important est amené à l'hôpital militaire — dans certains cas très spécifiques — il est attaché au lit et deux gardes sont postés devant la porte. Seul le médecin des *mukhabarat* ou le médecin-chef de l'hôpital peut administer un traitement. Même le médecin *mukhabarat* est fouillé par les gardes chaque fois qu'il sort de la chambre, pour aller aux toilettes par exemple, puis quand il rentre. »

Longue histoire d'Abu Salim. À Damas, dans la section régionale, il y a des Arabes détenus depuis 1985. Les deux plus dangereux sont des Libanais ; parmi les autres, il y a onze Libanais, deux Jordaniens et un Algérien. Ils sont incarcérés dans des conditions très dures. Fin 2010, ils ont fait une grève de la faim pour trois revendications :
— le droit de lire des journaux ;

— le droit au pain frais ;
— une nourriture qui ne sente pas mauvais.

Abu Salim a été envoyé par le responsable pour négocier avec eux, encadré par deux officiers de la Sécurité qui le laissaient parler. La grève a duré un mois et trois jours ; finalement les *mukhabarat* ont accepté les revendications. Les deux prisonniers dangereux sont enfermés dans une cellule de 3 m × 1,60 m, avec des toilettes ouvertes. À la porte, il y a une lucarne de 20 cm × 30 cm. En haut du mur, une ouverture de 50 cm × 30 cm. Pour pouvoir ouvrir la fenêtre — si la température monte en été par exemple — le médecin doit écrire un rapport et obtenir la permission. Abu Salim ne sait pas pourquoi ils sont là. Mais un jour qu'il était menotté à l'un d'eux, en rentrant de l'hôpital au bâtiment des *mukhabarat*, les gardes ne trouvaient pas la clef et il s'est retrouvé brièvement seul avec lui : « C'est quoi le problème avec toi ? » — « J'ai eu un problème avec le grand chef » (Hafez al-Assad).

La discussion continue chez Abu Salim, dans une pièce pour invités glaciale. Abu Ibrahim, l'infirmier, apporte du mazout et on chauffe. Café, cigarettes.

Al-Muthanna, le pharmacien, veut notre avis : « Quelles ont été les erreurs de la révolution ? Qu'est-ce qu'on aurait pu faire autrement ? »

Moi : « Il n'y a pas eu d'erreurs jusqu'ici. Vous avez pris le bon chemin, la bonne stratégie. La pression sur le régime augmente de jour en jour. Les manifestations augmentent, les désertions augmentent. Le régime vous paraît très solide, et c'est normal, vous souffrez, mais c'est une maison en bois rongée par les termites : un jour, on tape sur les murs, et tout tombe en poussière. Et les termites c'est vous. Le chemin est le bon, mais il est long et il n'y a pas de raccourcis. Par contre, il faut éviter la tentation de la radicalisation. L'impatience des militaires, la tentation du djihad. Ça peut tout faire capoter. Mais le régime a déjà perdu. Il ne reviendra jamais à la situation d'avant la révolution. Parce que la peur est levée, les gens n'ont plus peur du régime comme avant.»

Question sur la France : Qu'est-ce qu'on peut faire pour que la France augmente la pression sur la Russie ? J'explique qu'il faut attendre la fin du processus de la Ligue arabe. Quand il aura visiblement échoué, l'Occident pourra dire : Bon, les Arabes ont essayé, ça n'a pas marché, maintenant on passe à autre chose.

Raed traduit et élabore. Il explique aussi le rôle du Haut-Commissariat pour les droits de l'homme à l'ONU, qui prépare un second rapport. Les médecins, y compris Abu Salim, comprennent et proposent de préparer un dossier, avec tous les noms des responsables de la répression connus, et des faits avérés.

Ils posent des questions sur la protection internationale des structures médicales. Voudraient intégrer MSF. J'explique que ça ne marche pas comme ça. La protection est plutôt du ressort du CICR. En principe, l'emblème Croix-Rouge/Croissant-Rouge protège un hôpital. L'attaquer est un crime de guerre en droit international. Mais ici ça en ferait une cible. Le régime n'en est pas à un crime de guerre près.

On nous raconte une histoire. Avant, porter une barbe était en soi un motif d'inculpation : «Ah, tu fais partie de la bande à Ben Laden.» Maintenant, ils arrêtent un étudiant : «Tu étudies quoi ?» — «La littérature française.» — «Ah, tu fais partie de la bande à Sarkozy, *djamaat Sarkozy*!» C'est une histoire vraie : «L'étudiant, tu peux le rencontrer.» Il a été gardé en prison vingt et un jours, il y a trois mois.

Al-Muthanna explique que les billes sont interdites, parce qu'elles peuvent servir d'armes contre l'armée, avec des lance-pierres. S'ils entrent dans une maison et trouvent des billes, ils arrêtent le père. Alors les parents interdisent à leurs enfants d'y jouer. Un homme de Baba Amr a été arrêté pour ça il y a trois jours.

Abu Salim affirme que même les enfants sont surveillés. On a demandé à son fils quelles chaînes regardent ses parents ; celui-ci savait qu'il fallait faire attention, il a bien répondu. Mais les parents des enfants qui ont répondu al-Jazeera, al-Arabiye, France 24, BBC, El-Wissal, Adnan al-Aarout (un prédicateur saoudien antirégime syrien), etc., ont été convoqués. Dans certaines écoles, un gars armé de la Sécurité a même distribué des questionnaires aux enfants de la neuvième classe, ceux de douze ans, au sujet des habitudes des parents. Les enseignants sont contraints d'accepter.

Exemples de questions : Quelles chaînes vos parents regardent-ils ? (Elles sont listées.) Est-ce que vos parents regardent Dunya TV ? Comment réagissent-ils lors des discours du Président ? Est-ce que vos proches participent aux manifestations ? Y a-t-il des armes chez vous ?

On nous parle des enlèvements. H.R., une femme enlevée à Insha'at il y a un mois par les *shabbiha*, relâchée après quatre jours dans un échange, avec deux autres filles, contre des prorégimes enlevés par l'ASL. Il y a aussi la famille S.

à Insha'at, dont la fille H.S. a été détenue cinq jours. Abu Abdallah, le médecin militaire, la connaît.

Un peu plus tôt, Abu Abdallah m'offre un beau *misbaha* [1] en petites perles de verre, aux couleurs de la Syrie libre, fait en prison par son frère.

Ali, un autre médecin, nous montre son torse couturé de cicatrices. Il s'est pris plusieurs balles le 28 octobre, dont une à un centimètre du cœur, et une à un centimètre et demi de la colonne. Des *shabbiha*, quatre hommes armés avec des kalachs et une mitrailleuse, dans une Kia noire, sont entrés dans le quartier en saluant amicalement les gens de l'ASL, puis ont mitraillé la manifestation. Après, ils ont réussi à fuir par Kfar Aaya et à rejoindre le barrage. Il y a eu six morts, dont une femme. Raed s'en souvient, il avait photographié les corps des morts. Ali avait déjà été annoncé comme *shahid*, et on avait commencé à creuser sa tombe. «Je suis le martyr vivant.»

————

Au moment où on arrive à la maison, des rafales éclatent, certaines proches (des départs apparemment). Gros échanges. Ça reprend un peu plus tard, après une détonation de mortier, puis de plus en plus soutenu. Il est 10 h 45. On s'habille et on sort, escortés par Alaa qui porte une AK-74 [2]. On va au PC de Hassan où des gars, dans le noir, s'éclairant juste avec un téléphone portable, tentent de charger une mitrailleuse visiblement enrayée. On repart plus loin, avec un autre soldat, le long de la rue des immeubles semi-détruits où on était hier. Quand on arrive à un carrefour, avec une rue qui

1. Chapelet de prière.
2. Modèle de kalachnikov plus moderne mais moins répandu que l'AK-47.

donne sur les positions de l'armée, Alaa nous explique qu'on doit traverser en courant vite. On court vite. À ce moment le poste se met à tirer, des coups seuls puis des rafales. On continue, on cherche Hassan. Puis l'autre soldat l'appelle au téléphone. Il est parti à Insha'at, où se déroule l'attaque principale. Qui a attaqué en premier ? « Nous, on n'attaque jamais, répond Alaa. Quand l'armée attaque, on se défend. » Demi-tour, nouveau passage de la rue en courant, puis retour tranquille à la maison.

Tranquillité étonnante durant les minutes passées à attendre de contacter Hassan, dans le coin d'une rue dans le noir. Des rafales de divers côtés, et nous dans le froid et le calme, tranquilles.

———

Imad nous livre une autre version de l'histoire des deux prisonniers vus à la deuxième clinique. L'ASL avait attaqué un bâtiment de l'armée, et les deux soldats ont fui ; blessés, ils ont été capturés, et c'est seulement à ce moment-là qu'ils ont dit : « On est avec vous. » Mais l'ASL les considère comme des prisonniers [*et pas des déserteurs*].

Les snipers de l'armée ont deux fonctions, tirer sur des passants, et sur des soldats qui essayent de déserter. C'est ce qui s'est passé avec ces deux-là.

Fadi, Abu Yazan et Hassan reviennent du combat. Fadi a essayé de tirer un RPG qu'Abu Yazan démonte devant nous, mais il a fait long feu.

On les charrie parce qu'ils n'ont rien rapporté à manger.

Abu Yazan raconte le combat : il y a un barrage ASL à Insha'at, dans une école. L'armée a attaqué et les gars ont rappelé pour demander des renforts. Ils savaient qu'il y avait un sniper dans les étages de la tour en construction près de la tour bleue, et c'est pour ça qu'ils ont pris des RPG, pour le déloger. En ont tiré un. Même s'ils le ratent — ils tirent au hasard, ne savent pas à quel étage il est — c'est censé lui faire peur et le forcer à descendre.

0 h 45. Le dîner arrive enfin. Imad pousse un youyou de joie, sort son pistolet et tire une balle à travers la fenêtre en hurlant de rire. Je râle : « C'est pas poli de faire des trous dans les murs et les fenêtres, quand on est invité chez les gens. »

Dimanche 22 janvier

BABA AMR

Réveil lent. *Zaatar*, *labneh*, fromage. Les rêves prolifèrent sans trêve, personnels et dérangeants.

Dehors. Froid, brouillard. Le quartier désert sous la brume. Devant le PC arrivent petit à petit quelques soldats, Mohammed Z. du Conseil militaire, en moto, Abu Yazan un peu plus tard. Comparaison des kalachs russes et chinoises, plaisanteries, rires. Les hommes pratiquent leurs trois mots d'anglais.

L'armement de l'ASL est complètement hétéroclite : armes russes, chinoises, tchèques, belges, américaines, espagnoles, italiennes...

Mohammed Z. nous amène sur sa moto vers le cœur de Baba Amr, jusqu'à une ruelle. Deux femmes et un homme sortent d'une maison : les femmes ont perdu leur père là, quand un obus de mortier est tombé devant la porte. Ça s'est passé fin décembre. Les traces sont encore visibles, déchirures dans le métal des portes, un poteau d'électricité abattu.

À l'intérieur d'un appartement, sur un lit avec des couvertures et une perfusion, un homme très maigre, émacié mais souriant, Z. Il a perdu sa jambe gauche, sous le genou. Le moignon est toujours couvert d'un énorme pansement. La pièce est emplie de gens, une vieille femme, d'autres femmes, des enfants, beaucoup d'hommes, son frère. Tout le monde participe au récit. [*Z. a eu la jambe à moitié arrachée par le même obus qui a tué le père des deux femmes rencontrées dans la ruelle.*] Le fils de son frère, Ali, a lui eu une partie du bras coupée par des éclats de l'obus; une voisine a aussi été blessée. Tous les trois ont été amenés dans des véhicules à la clinique al-Hikma, une clinique privée d'Insha'at. Le personnel était sous pression, trop de blessés ce jour-là, ils ne pouvaient pas les opérer. Ils ont appelé une autre clinique privée, al-Amin, à six cents mètres dans le même quartier. Il y a un barrage entre les deux cliniques. Al-Amin a envoyé un véhicule, marqué «urgences médicales», avec des infirmiers, à al-Hikma pour ramener les blessés. À l'aller le véhicule a passé le barrage; au retour, il est arrêté, les militaires et les forces de sécurité voient les blessés; ils font descendre les deux hommes et laissent la femme repartir à la clinique. Les deux hommes sont amenés dans un blindé à l'hôpital militaire, dans le quartier al-Waar, près de l'Académie militaire.

C'est Z. qui raconte, mimant certains événements, agitant sa main avec le tuyau de la perf. Les blessés avaient passé trente à quarante-cinq minutes dans la première clinique, mais n'avaient pu recevoir aucun soin, sauf un calmant. Le bras de son neveu n'était pas entièrement arraché, comme la jambe de Z. qui avait été bandée par ses voisins avec une écharpe. À l'hôpital militaire, toujours sans avoir reçu de soins, ils sont pris en charge par des responsables des cellules, liés sur des lits, et torturés à même ces lits, durant plus de huit heures. Frappés sur le corps et la tête avec des plateaux à nourriture. Le neveu, Ali, est mort sous la torture. Une heure après la mort d'Ali, on a amené Z. au bloc opératoire où on l'a enfin opéré, tentant de rattacher la jambe qui tenait toujours en partie. Puis on l'a amené en cellule.

En cellule, par manque de soins, sa jambe s'est infectée ; six jours après son arrestation, un médecin militaire décide qu'on doit lui couper la jambe.

Dans sa jambe droite, trois cicatrices profondes, séquelles d'un accident il y a vingt ans. Il était déjà handicapé, sa jambe droite faisait dix-sept centimètres de moins que sa jambe gauche. Maintenant, c'est la seule qui lui reste.

Mohammed Z. dit : « C'est la seule personne d'ici qu'on connaît qui soit sortie vivante de l'hôpital militaire. »

Je reviens sur la torture. Z. m'explique. Les bourreaux ne posaient aucune question, ne formulaient que des insultes : « Ah, tu veux la liberté, la voici, la liberté ! » Ils insultaient aussi leurs femmes. Pendant la torture, on lui couvrait le visage avec une couverture, et il ne pouvait pas voir ceux qui le battaient.

On accusait Z. d'avoir pris les armes. Lui se défendait en disant : « Non, c'est impossible, je suis un handicapé. » Les gens ici pensent que c'est pour cette raison qu'il a eu la vie sauve.

Un des hommes lui a sauté à pieds joints sur la poitrine. Ils ont attaché des cordes à sa jambe blessée et l'ont tirée à droite et à gauche. « Il y a beaucoup de choses qu'ils m'ont faites, mais je ne m'en souviens pas. » Durant ces sept ou huit heures, lui et son neveu ont été torturés à tour de rôle. Il y avait d'autres prisonniers dans la salle, déjà torturés : « Leur cas était déjà réglé. » Un autre homme d'environ soixante ans est mort aussi. Il était entré blessé à l'épaule, ils n'ont cessé de le frapper durant une heure jusqu'à ce qu'il meure. Z. ne sait pas qui c'est, il a seulement pu juger son âge d'après sa voix.

Les bourreaux signalaient leur entrée dans la salle en agitant la poignée de la porte, et tous les prisonniers devaient couvrir leur visage de leurs couvertures, sous peine d'être exécutés. Il est certain que ceux qui l'ont torturé ne sont pas des médecins. Pense que ce sont des membres des forces de sécurité. Il nous montre des cicatrices aux chevilles et d'autres moins visibles aux poignets, des chaînes qui le liaient.

Z. est resté vingt-cinq jours en tout à l'hôpital militaire. Il n'a vu mourir personne d'autre. Mais un homme torturé a eu le dos brisé.

Quand Z. a été libéré, il y a juste une semaine, il a été amené au palais de justice et jugé : port d'armes, incitation à manifester, aide aux groupes armés, insurrection armée, etc. «Les interrogateurs, ils te frappent, te frappent, te frappent et à la fin tu te retrouves avec une liste de chefs d'inculpation dans lesquels tu ne te reconnais absolument pas.» Libéré sous caution grâce à l'amnistie, mais les charges pèsent toujours [*cette amnistie a été promulguée par Bachar al-Assad le 15 janvier 2012, mais elle n'a jamais réellement été appliquée*]. Ramené chez lui par son frère en taxi. Il doit se représenter devant le juge dans un mois, mais pense envoyer un avocat le représenter.

Sur un téléphone, on nous montre une photo de Z. à sa sortie de l'hôpital. Peau jaune, barbe grise, traits tirés, cadavériques, mais visiblement doucement heureux d'être vivant.

On nous montre aussi une photo d'un homme tué par l'obus, le père d'un des hommes ici, et une vidéo de l'incident. Atroce, des femmes hurlent, un homme désemparé ne cesse de crier *Allahu akbar*, on voit plusieurs cadavres étalés, un homme porte une femme blessée pour la déposer dans un pick-up, la voisine sans doute. Au tout début on voit Z., sa jambe pendante, fourré par des gens dans un véhicule.

Au moment du départ, Z. me regarde avec des yeux brillants et m'envoie une bise. Puis il dit : «Ils m'ont tué, là-bas. J'aurais dû y rester.»

————

Vers 14 h, au centre du faubourg, manifestation de protestation contre le rapport de la Ligue arabe, que les gens considèrent trop négatif. Veulent que le dossier soit transféré de la Ligue au Conseil de sécurité.

Durant la manifestation, un officier est soulevé sur des épaules et porté avec sa kalach tandis que les gens chantent «Vive l'ASL !». C'est un *naqib* qui vient de déserter. Les gens chantent aussi : le peuple veut une protection internationale, le peuple veut une *no-fly zone*, le peuple veut l'annonce du djihad.

À la manifestation, Bassam, toujours aussi digne et charismatique, avec ses yeux intenses. Après on marche un peu avec le docteur Ali et un de ses amis. On grignote du *foul* chez un vendeur ambulant, entourés de gamins, dont beaucoup portent des bonnets et écharpes bleu et orange, les couleurs du club de foot al-Karama, le club de Homs dont le gardien de but Abdel Basset Sarout a pris position pour la révolution. On offre du *foul* à Bassam, mais il refuse : il jeûne depuis six mois, tous les jours sauf les deux Aïd, quand c'est interdit de jeûner. « Ça me rend plus fort », dit-il. Puis on va se réchauffer près d'un brasier. Il fait toujours un froid de gueux, le ciel est gris, noyé dans la brume devant laquelle se découpent les immeubles proches et les minarets d'une mosquée. Des oiseaux migrateurs tournoient au-dessus des toits. Quelques rafales, de différents côtés, puis l'appel à la prière.

Il se met à neiger à gros flocons.

Visite dans le quartier à un homme, la trentaine à peu près, qui s'est pris une balle à travers le visage. Bien remis, il nous parle, mais le côté droit du visage et surtout son œil sont horriblement gonflés. Très tendu, a très peur. Il a besoin de deux ou trois opérations : une pour remettre l'os de la joue, une pour l'esthétique, une pour l'œil ; chaque fois qu'il doit aller chez l'ophtalmo, passer les barrages le terrorise. Sa blessure ne peut pas être dissimulée.

Ça s'est passé il y a un mois et demi, sur l'avenue principale, quand le barrage au centre de Baba Amr existait encore. Journée calme, il ne se passait rien. Il a traversé l'avenue principale avec son cousin et le barrage s'est mis à tirer, sans raison. Ils ont entendu les balles siffler autour d'eux et se sont mis à courir. Juste avant d'arriver à la rue perpendiculaire, sa tête était de biais, une balle est entrée en haut de la joue et est ressortie sous l'œil. On l'a remis à l'ASL qui l'a transféré au Croissant-Rouge, sans doute au niveau d'Insha'at. Le Croissant-Rouge l'a amené à la clinique privée al-Birr. À la clinique, il y a un poste de police. Ils ont vérifié qu'il n'était pas recherché, ont rempli un rapport, mais n'ont pas contacté les *mukhabarat*. Le lendemain, après l'opération, sa famille est vite venue le rechercher pour éviter des problèmes.

Il refuse les photos, tout comme son frère aîné qui parle pour lui. Ils ont tous deux très peur.

Dans le parc à côté, les gamins courent, jouent, crient sous la neige humide.

La neige s'arrête vite. Tandis qu'on mange des falafels froids dans une échoppe, une détonation, pas loin, suivie de rafales.

On tourne un peu dans la brume, puis on trouve un soldat qui propose de nous montrer le lieu de la détonation. C'est dans une ruelle près du «front», du rond-point qui donne sur la rue Brazil : deux tirs de grenades lancées par fusil, tout près d'un des derniers postes ASL, dont une n'a pas explosé. On regarde l'impact puis on repart. Le soldat, Abdulkader, nous déclare : «Vous devez partir. Riad al-Assaad a dit que vous ne pouvez pas rester, pour des raisons de sécurité, votre propre sécurité. L'armée risque d'attaquer le quartier comme ils ont attaqué le groupe de Jacquier.»

Comme il a été dit, ces tensions avec divers activistes civils ou soldats de l'ASL ont été une constante de notre visite. À plusieurs reprises, Raed a dû se défendre contre des tentatives un peu sauvages d'effacer certains de ses fichiers. Chaque fois, Muhannad al-Oumar, du Conseil militaire, est intervenu pour calmer le jeu, et c'est pourquoi nous avons de nouveau cherché à le rencontrer ici.

On appelle Muhannad : «Rentrez chez Hassan. Je viens dans vingt minutes.» On rentre. Là, Hassan et ses amis nous attendent avec un poulet rôti chaud et du houmous que je dévore avec joie tandis que Raed, au cas où, crée une copie de tous ses fichiers.

Arrivée de Muhannad. Tout le monde s'assoit en cercle et tout de suite ça devient plus formel. Muhannad pose doucement des questions à Raed : Tu as vu ce que tu voulais voir ? C'est quoi vos plans ? Qu'est-ce que tu penses de la situation ? Raed explique que la situation est meilleure qu'à sa première visite ; grâce à l'expulsion du barrage, le quartier est plus sûr. On voudrait continuer sur Khaldiye, puis peut-être aller à Telbisi, voir des gens qu'il connaît, et qu'il nomme. « Qui vous a fait passer la frontière au Liban ? » — « Abu Brahim. » Ça continue comme ça. Muhannad pose des questions sur le problème à la première clinique, avec Abu Bari. Raed explique : les photos, etc. Muhannad : « Il ne faut plus aller à la clinique d'Abu Bari. C'est pour ça qu'on vous a amené les blessés à l'autre clinique. »

Lui et Hassan ont un échange sur Jeddi, sur comment il s'est mal comporté le premier jour, partant en claquant la porte. Muhannad : « Ce n'est pas digne d'un responsable de l'information, il ne s'est pas bien comporté. Il devrait s'excuser. Ceux qui se sont mal comportés avec vous devraient s'excuser. Si vous voulez continuer, vous pouvez continuer sans problème, vous êtes les bienvenus. Imad restera avec vous et il n'y aura pas de problème. »

Muhannad nous parle de l'officier de la police criminelle, Abu Ali Munzir, qui avec deux *shabbiha* a enlevé quatre filles. C'est le même homme dont parlait la fille à la clinique d'Abu Bari. Devant nous, il téléphone à la fille, obtient les cinq mêmes noms que j'ai déjà, puis un sixième. Il y a trois autres filles détenues par Munzir, mais ils n'ont pas les noms. Neuf en tout.

La sixième fille, c'est celle dont on nous avait parlé au Conseil militaire, celle prise au salon de coiffure. Muhannad dit que oui, quand on en a parlé ils pensaient qu'elle avait été prise par les *mukhabarat* de l'aviation, mais maintenant ils savent que c'est Munzir.

Munzir détient les femmes pour son propre compte, comme un *shabbiha*. L'ASL a fait pression, via les observateurs de la Ligue arabe, pour qu'elles soient transférées à la Sécurité politique, mais sans résultat jusqu'ici.

Le frère de Mohammed Z., du «salafiste sympathique» comme je l'appelle, est là. Il s'appelle Abu Salaam. Il explique que les deux femmes de son frère ont été capturées fin décembre par les *shabbiha*, dans les vergers. Mohammed est recherché, et les *shabbiha* sont venus pour lui à sa maison de campagne ; ils ne l'ont pas trouvé, et ont pris les deux femmes en otage pour qu'il se rende. Elles ont été détenues six jours, puis, avec la venue des observateurs de la Ligue arabe, elles ont été libérées. Mohammed ne nous l'a pas dit de peur qu'on demande à les voir.

Les femmes de Mohammed ont été maltraitées, dit Muhannad, très maltraitées. Pas plus de précisions. Trop de gens dans la pièce pour insister.

On revient sur la question du djihad. Muhannad : «Chaque jour il y a des morts. La position de la Ligue arabe est faible, la position internationale est faible, donc l'idée du djihad s'impose à nous.»

Qu'est-ce que ça signifie ? «On veut que tous les combattants du monde arabe viennent nous rejoindre pour le combat. On veut que tous les responsables qui continuent à travailler pour l'État soient passibles de la peine de mort. Quand on l'annoncera, tous les civils qui n'ont pas encore pris les armes se joindront à nous.»

Pour eux, il n'y a pas suffisamment de pression internationale. «Si on passe au djihad, on passe à l'étape d'une révolution militarisée.»

Imad intervient : «Non, si on fait ça, on passe à une guerre généralisée.»

Ils veulent une intervention directe de l'OTAN, ce qui n'était pas le cas en novembre. À cette époque, Raed avait vu une manifestation à Kussur [*un quartier au nord-ouest de la ville*], où un activiste avait tenté de lancer le slogan : «Le peuple veut une intervention de l'OTAN!» Personne n'avait repris le slogan, malgré toutes ses tentatives.

Muhannad : L'ASL a enlevé trois hommes et deux femmes pour les échanger contre seize ouvriers de la société Mandarin (Pepsi) pris par les *shabbiha* vers le 16 novembre. Ils ont été arrêtés à un barrage *mukhabarat*, qui ont appelé les *shabbiha* qui les ont emportés. Cinq jours après l'ASL a enlevé les cinq, et deux jours plus tard a négocié un échange.

Parmi les deux femmes il y avait une alaouite et une ismaélienne. L'une était l'épouse, l'autre la sœur d'un officier. Les trois jeunes étaient alaouites aussi, deux *shabbiha* et un tenancier de bordel, d'après eux.

Muhannad pense qu'avec le durcissement de la répression il est probable qu'on va vers un conflit sectaire. «Le fait que la communauté alaouite soutient le régime sans équivoque peut conduire à un affrontement confessionnel. Mais cette question est du ressort des responsables religieux, des cheikhs.

«On est conscients que le régime joue la carte de l'affrontement confessionnel. Mais, si le régime tombe, ses méthodes disparaîtront. Il n'y aura pas de représailles. Ceux qui auront participé seront jugés. La communauté alaouite aura sa part, comme tous les citoyens syriens. De toute façon, on ne peut pas les effacer. Ils font partie de la société syrienne, comme nous.

«Je sais comment pensent les gens dans la communauté sunnite. On n'a pas cette pensée confessionnelle.»

On se fait expliquer l'organisation du quartier. Il y a trois structures :

— le *majlis al-askari* (Conseil militaire) : vingt-quatre membres, dont trois civils et vingt et un militaires ;

— le *majlis al-shura* (Conseil civil ou Conseil consultatif) qui s'occupe des questions de justice, de l'approvisionnement humanitaire des civils, et aussi de l'approvisionnement de l'ASL : quatorze membres, dont sept civils et sept militaires ;

— les *tansikiyyat* (comités de coordination locaux) : organisent les manifestations. Le *maktab el-al'iilami* (bureau de l'information) est un de ces comités.

Muhannad affirme qu'Abderrazzak Tlass n'est pas le commandant de la *katiba*. Il ne veut pas dire le nom du vrai commandant. Abderrazzak Tlass est membre du Conseil militaire, mais certains membres ont des rangs plus élevés que lui, comme le *naqib* qu'on a vu à la manifestation (qui a en fait déserté il y a deux mois).

Il y a un coordinateur, qui est membre du Conseil militaire — son nom est secret —, qui fait le lien avec les *tansikiyyat* et sert de courroie de transmission entre le Conseil militaire, les *tansikiyyat* et le Conseil national syrien. C'est aussi lui qui assure le lien avec Riad al-Assaad.

Riad al-Assaad donne des ordres, des orientations générales, et aussi des armes et de l'argent. Ils reconnaissent son autorité. Le Conseil militaire est en accord avec la vision et les objectifs politiques du CNS. Il considère que le CNS représente le peuple révolutionnaire, et accepte son autorité. Si un gouvernement de transition se constitue, il se rangera sous son autorité.

Arrivée d'un vieux monsieur en costume, très élégant, un ancien officier à la retraite qui se met à épauler les fusils snipers et donner des conseils. Puis grande discussion entre les hommes, Hassan, Imad, le vieux, Abu Jaouad, Abu Assad, sans les jeunes. À la fin Abu Jaouad et le vieux sortent des billets, une grosse liasse de livres syriennes, et en donnent une partie à Hassan, « pour les jeunes » si j'ai bien compris. Hassan tente de refuser, débat, finalement l'argent reste sous un cendrier. Puis tout le monde se sépare et on part chez le docteur Ali chercher internet.

———

On tombe dans une pièce pleine d'activistes, chacun sur un ordinateur portable en train de travailler sur Facebook ou autre chose. Il y a Aloush, qui mène les manifestations, et des amis. On prépare un narghilé. Les connexions sont très lentes mais *safe*, sécurisées par Tor. Mais ma clef USB a attrapé un virus sérieux chez Abderrazzak Tlass. Impossible de la nettoyer. « Je l'ai attrapé chez *al-Jaych al-Hurr*, l'Armée libre. » — « *Al-Jaych al-Hurr* est un virus ! »

Ali, le martyr vivant, est là. Ses copains racontent comment ils l'ont cru mort. Il pesait cent kilos à l'époque et son pote,

Abu Slimane, un petit gars fluet, n'arrivait même pas à tirer son corps. Ils l'ont amené à l'hôpital en traversant les barrages; quand les soldats ont vu son état, ils l'ont laissé passer: «De toute façon, il est déjà mort.»

Assez fier, le martyr vivant nous montre une vidéo de lui juste après sa blessure, la moitié du poumon gauche sortie de sa poitrine.

D'après les jeunes, il y a eu seulement un mort depuis notre arrivée, Abd al-Kafi M., tué à l'hôpital militaire. C'est sans doute celui dont on a loupé l'enterrement, celui dont ils disaient qu'il venait de mourir. Mais juste avant c'était très violent: cinq morts le dimanche 15, cinq morts le mardi 17, un mort le mercredi 18, la veille de notre arrivée.

Abu Slimane: «Nos parents ont été soumis par la peur. Nous, on a brisé le mur de la peur. Soit on vaincra, soit on mourra.» Fait le signe V avec les doigts. Séance photo, on pose tous en faisant des V — mais pour leurs appareils seulement, pas le mien.

Lundi 23 janvier

Réveil agité. Vers 10 h, 10 h 20, j'émerge lentement au son de rafales distantes. J'essaye de secouer Raed ; Fadi et Ahmad dorment dans le salon, je vais voir pour l'eau chaude, mais il n'y a plus de mazout. Des gars déboulent assez vite, un peu agités, ils viennent chercher des mitrailleuses et des ceintures de cartouches. Les rafales continuent, la plupart assez proches il semble, il se passe quelque chose. Les soldats réveillent Fadi et Ahmad, on s'habille vite et on décide de suivre.

Dehors, il fait un froid humide, brumeux. On traverse la petite place en courant vers le PC de Hassan, personne. Imad arrive en voiture sur les chapeaux de roue, nous explique un peu. On prend en courant la rue des immeubles face au front, qui sont les points de tirs. Les rafales sont soutenues et toutes proches, c'est clairement l'ASL qui tire maintenant. Ibn Pedro arrive en voiture avec deux potes et on monte dans un immeuble, au second. Un jeune gars est posté derrière un trou d'obus avec une mitrailleuse, mais elle est enrayée. Ahmad monte avec la sienne et prend sa place, puis commence à tirer à courtes rafales. Les cartouches vides rebondissent sur les murs, Raed photographie, le boucan est

113

infernal. Les autres regardent calmement en fumant et en échangeant des vannes. Puis Ibn Pedro prend la place d'Ahmad pour se faire la main, un petit exercice du matin. L'odeur de cordite emplit l'appartement ravagé.

Ibn Pedro nous explique la situation : un sniper s'est mis à tirer sur des civils et en a blessé quatre. L'ASL riposte sur le sniper, qui est posté dans une des tours près du stade.

Le premier jeune reprend sa place et essaye de tirer. Il lâche quelques rafales mais sa mitrailleuse n'arrête pas de s'enrayer.

On sort. Les gars dans la rue sont calmes, ça discute. Fadi arrive. Moi : «Alors, tu as mis le mazout pour l'eau chaude ?» Ahmad repart chercher des munitions.

On descend le long de la rue avec Fadi, on traverse un autre immeuble, puis on passe le mur du jardin par un trou pour entrer dans l'immeuble mitoyen. La fenêtre de l'escalier est exposée, il faut monter en courant. En haut c'est l'appartement à la télévision fondue, avec des canapés renversés dans tous les sens. Un gars a mis une échelle en métal devant un trou dans le mur, pour servir d'appui à son arme, et s'est installé à l'aise sur une petite chaise de bureau. Plusieurs gars se relaient pour tirer quelques coups. Je commence à noter, Raed téléphone à Imad. Il y a trois blessés ASL, par un RPG, dont un assez grièvement. Mais tous les blessés sont à la clinique d'Abu Bari, on n'aura pas accès.

On redescend, ressort, puis on remonte dans le premier appartement. Abu Hussein, un barbu trapu et souriant aux dents gâtées, enveloppé dans un poncho-couverture traditionnel, tire des coups très bruyants avec son G3 Heckler & Koch. L'autre s'escrime toujours avec sa mitrailleuse enrayée, puis lâche quelques rafales qui résonnent dans la petite pièce.

Ça s'est plutôt calmé mais les gars pensent que l'armée va reprendre. Tout à l'heure il y a eu une détonation de grenade à fusil, plus loin, mais sinon pas de tirs d'obus. Il paraît qu'on est hors de portée des RPG. Abu Hussein explique qu'ils ne tirent au tank que quand ils attaquent. Par contre si l'ASL tue un des leurs ils balancent des obus de mortier. L'imam du coin lance son appel à la prière comme si de rien n'était. Des jeunes entrent et sortent. Alaa s'est posté devant le trou de tir et fume.

Accalmie. Ça discute. Abu Mahmud entre, nous salue joyeusement. Un autre soldat ASL a été légèrement blessé, des éclats de verre au front. Des soldats proposent de partir à Insha'at. « Non, restez à votre poste », ordonne Abu Mahmud.

Il fait un froid de chien, la vapeur des haleines s'élève devant les visages, les hommes tournent dans l'appartement ravagé.

Ali nous appelle : il y a un *shahid* à la mosquée Gilani. On s'y rend en courant pour ne pas louper la fin de la prière. On arrive tout essoufflés. Dans la mosquée peu de gens prient. Le cadavre repose dans un coin, enveloppé dans un linceul et posé sur un catafalque. Mais il semble qu'il soit mort de mort naturelle.

On achète des confiseries et des chips à l'épicerie du coin, assez pour tous les gars, et on retourne en courant aux immeubles du front. Abu Mahmud a reçu l'information, par un gars venu d'Insha'at, où ça a commencé, que l'armée va attaquer.

Devant sa base, Hassan, en survêtement, revisse un fusil sniper. Il confirme l'information et nous conseille d'aller nous mettre à l'abri à l'appartement.

Discussion avec Raed. Hassan nous propose d'aller rejoindre Ibn Pedro qui tire dans un immeuble. Raed veut rester avec Hassan. De toute façon c'est plutôt une pause, il n'y a quasiment pas de tirs, les hommes se chauffent autour d'un brasier.

Devant l'immeuble, une Kia avec cinq impacts de balles dans le pare-brise, des trous dans les fauteuils. Le chauffeur nous raconte : il s'apprêtait juste à monter quand ils ont tiré. « *Al'hamdulillah !* » Ça s'est passé il y a une heure, à Insha'at. On retourne devant le PC, manger et discuter. Les chips sont au vinaigre, pas très bonnes. Fadi apporte des munitions depuis l'appartement. J'y retourne me rincer le visage et chercher un autre carnet — celui-ci est presque fini, et ça serait dommage de tomber à court juste quand ça devient intéressant. Quand je reviens, Abu Yazan est là. C'est lui qui est légèrement blessé au front. Son copain, à Insha'at, a été blessé à l'aine par un sniper, et de colère il a tiré un RPG à travers une baie vitrée, qui lui a volé à la gueule.

Pour le moment c'est toujours l'accalmie. Il est environ 13 h. Peut-être les militaires ont-ils décidé de manger avant d'attaquer.

Juste quand j'écris ça, ça se remet à tirer dans tous les sens. Hassan nous demande de reculer contre le mur. « Il pourrait y avoir une grenade. » Mais personne ne rentre à l'intérieur du PC. Les militaires, semble-t-il, sont à cent mètres.

Il fait toujours aussi gris. Le soleil pend au-dessus des immeubles, un disque pâle mais brillant dans la brume. Le goût un peu gris de la guerre.

Hassan prend son fusil sniper : « Je veux aller l'essayer. » On passe à travers l'appartement-PC, puis un jardin, un trou dans un mur, un autre appartement dévasté. Dans le salon au milieu des débris, de beaux meubles, canapés et fauteuils dorés, du Louis XVI en toc. Certains sont renversés, l'un des fauteuils est placé devant un trou dans le mur ; Hassan s'y assoit, aligne et se met à tirer coup sur coup. Les cartouches vides claquent contre le mur, l'odeur de cordite emplit la pièce. Hassan s'est couvert la tête du keffieh de Raed, pour que son visage ne soit pas visible sur la photo, et il étouffe vite. Abu Hussein arrive et prend sa place devant le trou pour se mettre à tirer à son tour.

Ils tirent sur les sacs de sable de la position ennemie, pour forcer les snipers à se baisser et les empêcher de tirer. Ils n'ont pas d'armes assez sophistiquées pour les déloger, mais peuvent occasionnellement les abattre s'ils se découvrent.

Hassan monte à l'étage, tire encore quelques coups par une fenêtre dans l'escalier au deuxième palier. On le suit. En redescendant, juste quand je passe la fenêtre exposée, il tire, et je finis ma descente en cavalant sous les rires de Raed : «Ah, j'ai raté une photo, là.»

Dehors, arrivée d'Abu Hassan en voiture. Salutations. Abu Hassan à Raed : «Tu tires ?» Raed montre son appareil photo : «Je tire.»

Les coups continuent, réguliers. Ça continue comme ça. On se déplace, j'ai le temps de noter. Les gars, aux positions, tirent régulièrement. C'est ce temps singulièrement plastique, nerveux de l'attente. Si l'attaque commence, ça ira très vite.

Ahmad, l'ours barbu, est le second de Hassan, et commande quand il n'est pas là.

On monte sur un toit où se trouve une autre position. Alaa est couché avec une mitrailleuse et une lunette, vaguement

117

protégé par trois sacs de sable et quelques parpaings. Je me couche à sa place et avec le zoom de mon Linux il me montre la position du sniper ennemi, au bout de la rue, droit devant, dans une maison derrière le stade, à quatre cents mètres.

Par des trous dans les murs, je regarde et photographie aussi les positions des snipers dans les tours à droite, celle en construction et celle aux vitres bleues. On voit des sacs de sable, à deux cents mètres à peine, avec les murs autour criblés d'impacts. C'est tranquille, le soleil sort enfin et brille sur le toit recouvert de débris, de temps à autre un des gars lâche une rafale, sinon on discute. On nous apporte des coussins brodés et on s'assoit contre le mur de la cage d'escalier, très à l'aise. Quelqu'un fait du thé, paraît-il.

Tout à coup ça explose de nouveau, les gars se ruent sur leurs armes et ouvrent un feu soutenu. Les types en face ripostent et on entend les balles siffler. Je recule derrière la cage d'escalier, qui n'est pas très sûre non plus car elle est criblée de trous. Raed photographie. Ça dure environ cinq minutes puis ça se calme. Je retourne m'asseoir : « Alors, Alaa, il est où le thé ? *Wen tchai ?* »

Alaa explique qu'une voiture banalisée est arrivée au poste ennemi, pour le ravitailler en munitions, et ils ont ouvert le feu dessus. Ils pensent qu'ils ont blessé les types. Le poste ennemi a répliqué pour couvrir leurs gars. Nous : Comment vous saviez que c'étaient des soldats, si c'était une voiture civile ? Ils ont vu un type en uniforme dans la voiture, c'est pour ça qu'ils ont tiré. Ils ne tirent pas sur les civils, bien sûr, mais les militaires confisquent des véhicules civils pour approvisionner leurs postes ici. S'ils viennent avec un blindé, l'ASL le dégommera au RPG. Raed : « Alors pourquoi ils ne s'habillent pas en civil aussi ? » Alaa : « Ils risqueraient de se faire descendre par leurs propres snipers ! »

C'est de nouveau très calme. Au loin, on entend le trafic sur l'*autostrada*. Les chaussures d'Alaa, toujours couché, perdent leurs semelles.

Entre les accrochages, c'est l'ennui. Les gars fument, bavardent. Il fait moins froid maintenant que le soleil est sorti. On redescend au PC, tranquillement, boire le thé avec Hassan, Imad et d'autres. La mère de Fadi a préparé de délicieux *empanadillas*[1] au fromage et à la viande que l'on mange avec le thé brûlant. Ça fait un bien fou, le corps se détend d'un coup.

Après, retour à la maison. Douche chaude, merveilleuse. Quand je sors, Raed est parti. Coup de barre. Comme si je me liquéfiais d'un coup. C'est seulement à ce moment-là qu'on ressent la tension, quand elle reflue.

Ça pète de nouveau. Raed revient un peu plus tard. Un des hommes a été blessé, une balle au bras apparemment. Il me décrit un gamin de huit ans qui marchait tranquillement, sur le côté de la rue exposée aux snipers, tandis que ça tirait de tous côtés.

La vie des soldats : dormir, manger, nettoyer les armes, monter la garde, et de temps en temps se battre. Beaucoup de patience et d'ennui pour quelques heures intenses, qui finissent parfois par une blessure, ou par la mort.

Un jeune gars que je ne connais pas revient faire le plein de munitions. Il vide les cartouches d'un sac de jute et, agenouillé sur le tapis, remplit son chargeur. Bonnet noir,

---

1. En espagnol, petits chaussons fourrés.

petite moustache, veste à chargeurs noire par-dessus son coupe-vent.

On est rentrés vers 15 h, tout ça a duré environ quatre heures. Vers 16 h 30, Imad apporte enfin des *sfihas* et du yoghourt. Ibn Pedro est là, Ahmad aussi, d'autres jeunes, tout le monde mange avec appétit. À un moment, une grosse détonation, pas loin. Hassan téléphone : un de ses gars a tiré un RPG, pour déloger un sniper.

Cette très curieuse sensation de décalage durant le combat. Le bruit infernal des tirs tape sur les nerfs, alors que ce sont des tirs amis, sans aucun danger. De l'autre côté, les départs ressemblent à des pétards, un jeu d'enfant, pour rire. On essaye de se couvrir mais il y a des ouvertures partout, des axes de tirs partout, on n'a aucune idée réelle de ce qui est *safe* ou pas. On demande et on doit croire sur parole. Tout ça reste fabuleusement abstrait, même quand les types en face vous tirent dessus. Ce n'est, j'imagine, qu'au moment où on se prend un impact que ça devient soudainement et irrémédiablement concret. Mais tant qu'on n'a rien ça garde quelque chose de curieusement irréel, comme si on évoluait dans un rêve, comme si tout ce qui se passait arrivait aux autres, pas à soi.

Retour d'Abu Yazan, l'air crevé, pansement au front. Ça n'est pas trop sérieux.

17 h, Imad part voir la famille du blessé, et refuse catégoriquement de nous prendre avec lui. Ibn Pedro commence à prendre la tête à Raed pour ses photos du dernier voyage, dit que quelqu'un a eu des problèmes à cause de lui, ce qui est ridicule, vu les précautions que prend Raed. Il leur montre les PDF et ça a l'air de se calmer. Mais Ibn Pedro reste énervé, il n'a pas l'air convaincu.

Raed : «Des fois t'as de la chance de ne pas parler arabe. Le moins que je puisse dire c'est que c'était pas très cool. Dire ça devant tous les autres, juste comme ça, c'est un peu salaud.»

Dans un coin, le jeune mitrailleur de ce matin recharge des ceintures avec des cartouches tirées d'un gros sac plein de munitions. Quelques autres s'y mettent aussi.

Je sors avec Alaa faire quelques courses. Les rues sont détrempées, les flaques brillent dans les phares. Les soldats aux checkpoints apparaissent comme des fantômes, faisant clignoter un portable en guise de lampe de poche.

J'achète du savon d'Alep près de la mosquée. Au retour, les gars me tancent : «Tu es avec ceux d'Alep, tu es avec Bachar ! Tu achètes le savon d'Alep, tu es un traître !»

———

19 h 30. Impossible de joindre ou de trouver Abu Salim, le médecin des *mukhabarat* qu'on voudrait revoir.

Vers 23 h, un jeune soldat qui se fait appeler Le Chat nous mène à pied chez d'autres activistes, pour la connexion internet. Ceux-ci sont violemment contre la déclaration du djihad : «Notre révolution n'est pas une révolution religieuse, c'est une révolution pour la liberté. Déclarer le djihad changerait complètement la portée du message de la révolution syrienne. Oui, des gens ont chanté le slogan à la manif. Mais ce sont des gens simples, ils ne comprennent pas.»

Notre hôte, Abu Adnan, est un avocat communiste qui défend des prisonniers politiques. Propose de nous amener au palais de justice, voir comment ça se passe. «Avec de l'argent tout est possible.» Il y a aussi un cameraman, Abu

Yazan al-Homsi, qui fournit beaucoup d'images à al-Jazeera et d'autres chaînes.

Lors du repas, Abu Adnan nous sert du «whisky», une fabrication locale un peu sirupeuse, en précisant qu'on ne doit pas en parler hors de cette pièce, et nous demande si on croit en Karl Marx. Lui croit en Karl Marx comme d'autres en Jésus ou Mohammed, du moins c'est ce qu'il dit. Son père, dont un portrait très formel pend au mur, était aussi communiste. Le pharmacien, Abdel Kader, corrige ses propos : «*Din, din. Fikr, fikr.*» La religion, c'est la religion. La pensée, c'est la pensée.

Plus tôt, Abu Yazan al-Homsi expliquait à Raed qu'il se considérait comme un activiste, pas un journaliste. «Je ne pourrais jamais envoyer une image qui pourrait nuire à la révolution.» Il ne peut quasiment jamais filmer l'ASL. Une fois, il a filmé la destruction d'un tank, mais l'ASL lui a interdit de diffuser les images. L'ASL a peur de montrer qu'il y a des civils qui ont rejoint leurs rangs. Pour eux ce serait accréditer le discours du régime sur le «terrorisme». Forte paranoïa à ce niveau.

Abu Yazan al-Homsi nous confirme que tous les journalistes étrangers (à part nous) travaillent avec le bureau de l'information. «C'est parce qu'ils ne doivent pas avoir accès à certaines informations. Le bureau les contrôle.»

Abu Adnan veut commencer une conversation avec moi via Google Translate : «*Please tell the world we are not islamists. — I am a communist and I hate islamists*[1].»

----

1. «S'il vous plaît, dites au monde que nous ne sommes pas des islamistes. — Je suis un communiste et je hais les islamistes.»

On s'extirpe vers 3 h du matin. Abu Adnan, légèrement ivre, nous raccompagne dans la rue : « Quand on sera libres, revenez en touristes, vous serez mes hôtes ! » Retour à pied avec Le Chat, dans le froid sur, à travers les flaques. Le checkpoint de l'ASL veille et gueule sur nous : « Qui va là ? » Le Chat répond et ne s'arrête pas.

Mardi 24 janvier

10 h. Réveil tandis que déjà Ahmad et quelques gars parlent fort autour de la *sobia*. Fadi dort toujours. Ils boivent du maté et on fait du thé. Raed appelle son ami Abu Assad, pour organiser le passage à Khaldiye, mais c'est compliqué pour lui. Finalement c'est Bilal qui viendra, un activiste de Khaldiye qui travaille avec les hôpitaux clandestins.

Malgré certaines choses inachevées, comme les discussions avec le médecin des mukhabarat *que nous n'avons pas pu revoir, nous avions la veille décidé de quitter Baba Amr pour commencer à travailler dans les quartiers du centre, en commençant par Khaldiye, qui se trouve du côté nord-ouest de la ville, et où Raed avait de bons contacts.*

Vers midi, après la prière, enterrement d'un *shahid*. C'est d'après les activistes d'hier soir un civil qui revenait du centre et a été arrêté à un barrage, où ils ont vu qu'il habitait Baba Amr. À ce moment a éclaté une fusillade entre les soldats du barrage et l'ASL ; les soldats ont lié l'homme et l'ont utilisé comme bouclier humain. Il n'a pas été touché mais a été exécuté après.

Attente devant la mosquée sous la pluie.

Renseignements pris, le *shahid* s'appelait Mohammed W. Il a été enterré à 9 h ce matin. Mais ce n'est pas le *shahid* dont on nous a parlé hier, c'est un homme blessé il y a dix jours par l'obus tombé sur la boulangerie, et qui est mort hier de ses blessures. [*Le bombardement, peu avant notre arrivée, de la boulangerie d'Insha'at, près de la rue Brazil, avait fait de nombreuses victimes civiles.*] Raed rappelle Abu Yazan al-Homsi, le cameraman d'al-Jazeera : non, c'était bien le *shahid* qu'on cherchait. Il a été touché il y a quatre jours — au barrage, comme on nous l'a dit ? impossible de savoir — et il est mort hier. Comme sa famille est d'al-Waaor, près de la raffinerie, ils ont pris son corps ce matin pour l'enterrer là-bas. Encore une histoire complètement embrouillée, comme toutes ici.

Finalement le mort du four à pain existe aussi, et a bien été enterré ce matin.

Discussion avec un groupe de femmes. «Que Dieu vous garde, mes fils ! Qu'il ne vous arrive pas la même chose qu'à votre compatriote !» Un type à vélo, avec ses courses suspendues au guidon et des oreillettes, se joint à la conversation. Son frère a été tué en décembre par un sniper, alors qu'il prenait le bus pour aller au travail.

Depuis la soirée au narghilé, avec le docteur Ali et les activistes, j'avais développé une toux qui par la suite ne fera qu'empirer et me collera pour le reste du séjour. Comme l'ami de Raed qui doit nous amener à Khaldiye n'arrive toujours pas, nous partons à pied chercher une pharmacie.

Pharmacie sur la grande rue, où je vais acheter du sirop pour la toux. Le pharmacien, Ahmed, parle parfaitement russe, il a étudié dix ans à Moscou, 1990-2000. Son frère aussi, qui est docteur à Damas. Il vient juste de rouvrir la pharmacie il y a une semaine. Tout le coin avait été lourdement bombardé.

C'est quasiment la première personne avec qui je peux parler directement depuis que je suis ici, et je suis très heureux.

Ahmed vient d'un village près de la frontière du Liban, sur la route de Tartous. Il a étudié en Arabie saoudite, avant la Russie, puis a travaillé là-bas et au village aussi. Il est installé à Baba Amr depuis cinq ans. Mais il avait grandi ici, son père était instituteur. Il est turkmène, comme tous les gens de son village, un bourg de quatorze mille personnes. «J'ai beaucoup voyagé, Russie, Roumanie, Grèce, Turquie, Arabie saoudite, et je n'ai jamais vu un gouvernement pareil.» Sa pharmacie a été pillée trois fois par les soldats. La vitrine et le rideau de fer sont criblés d'impacts de balles et d'éclats.

Il reçoit ses médicaments du centre-ville, et aussi de Damas, Alep, ailleurs ; il passe commande et on les lui apporte, un ou deux jours plus tard. Les prix des médicaments n'ont pas augmenté, il pense qu'ils restent contrôlés par le ministère de la Santé. Par contre beaucoup sont très difficiles à trouver. Ils manquent de tout. Juste à ce moment arrive un homme bien sapé, qui apporte des médicaments du centre-ville. Ahmed et lui discutent de la prochaine commande. Le prix des produits paramédicaux (lait pour enfants, pansements, pastilles pour la toux, etc.), non contrôlé, a augmenté de 100-120 %. Très dangereux de venir du centre.

Ahmed raconte des vannes sur la Russie. Là-bas on lui disait : « *Ты не пьёшь, ты не куришь, почему живёшь? — Толко штобы бегать за девушками* [1]. »

---

1. «Tu bois pas, tu fumes pas, pourquoi tu vis ? — Seulement pour courir les filles.»

Auparavant, il a aidé la clinique d'Imad, mais ça ne s'est pas bien passé. Réticent à en parler. Me fait enfin savoir que tout ce qu'il a donné n'est pas arrivé à bon port. « Là-bas c'est des bons gars, mais il y a des conflits internes. Et certains en profitent. » Il n'a plus d'argent à cause des trois pillages, et avec ça en plus, il ne veut plus aider. « Et la clinique d'Abu Bari ? » — « Non, jamais ! » Réponse véhémente.

Il parle de son oncle pilote. Les officiers de l'aviation sont surveillés de près. Plusieurs collègues de son oncle ont voulu déserter, ils ont été attrapés et tués. L'oncle a réussi à fuir, il s'est un peu battu avec l'ASL, maintenant il est terré au village.

―――――

On se rend au Conseil militaire pour voir Muhannad avant de quitter Baba Amr. Dans le terre-plein derrière la mosquée, entre les arbres, deux tombes déjà creusées, qui attendent, prêtes. C'est pour les jours où ça tire trop pour aller au cimetière.

Séance photo devant le Conseil militaire : portraits d'Abderrazzak Tlass, tout fier et souriant dans son uniforme, qui pose en brandissant sa kalach, et du *naqib* Aiman al-Fadous. Puis brève conversation avec Muhannad.
Subite poussée de fièvre durant l'attente puis la discussion. Tout le corps qui vibre.

―――――

Le passage à Khaldiye, vers 14 h. Un taxi ordinaire qui vient nous chercher devant le Conseil militaire, envoyé par Bilal, l'ami de Raed. On passe à l'appartement prendre les sacs, vite parce que Tlass part lancer une attaque contre des barrages de l'armée et ça risque de péter, et on file. Dès Insha'at la topologie de la ville change, les immeubles sont plus propres, il y a des trottoirs, des arbres, du gazon, beaucoup plus de gens, beaucoup plus de voitures. On déboule sur une avenue : devant nous, un immeuble surmonté d'un immense portrait d'Assad père, le siège du Baas semble-t-il. On n'est visiblement plus en territoire ami, mais on ne voit aucun militaire, aucun barrage.

Sentiment que la fièvre reflète mon état d'esprit, fébrile et fragile.

Le taxi remonte l'avenue, le trafic est dense, les immeubles sont pleins de boutiques, il y a des gens partout. Tous les quartiers pro-opposition sont pleins de tas de poubelles et d'immondices : la municipalité ne ramasse plus les ordures dans les quartiers de l'opposition, c'est leur «punition». Mais sinon on traverse ici une ville syrienne animée et «moderne», à mille lieues de Baba Amr, quartier populaire du fond de la ville, le genre d'endroit où normalement on ne mettrait jamais les pieds. On passe par la rue de Dublin, la Corniche, une grande avenue du centre, puis on louvoie par de petites rues pour contourner des barrages, à travers des quartiers pro-opposition mais non sécurisés. En vingt minutes, plus ou moins, on est à Khaldiye. Là, première surprise : un barrage ASL à l'entrée du quartier, avec des sacs de sable et des gars en armes. Raed est étonné, ça n'existait pas en novembre, ça veut dire que l'ASL s'est sérieusement renforcée, s'ils osent s'afficher ouvertement ici, si près du centre. Ce poste a été monté il y a deux jours ; un peu plus loin, il y en a un autre, en place depuis un mois. Il protège l'accès à la place centrale, là où ont lieu les manifestations. On y arrive assez vite. Je tremble de fièvre, et dévore une sorte de petite pizza au fromage et à la sauce piquante, cuite devant moi par un vendeur ambulant, en attendant Bilal qui arrive avec sa fougueuse amie Zayn. Zayn est voilée, mais habillée en jeans et bottines de montagne, quelque chose qu'on ne verrait jamais à Baba Amr. Bilal a un bras dans le plâtre, il s'est pris une balle en allant sauver un blessé, il y a quatre jours.

Première grande différence visible d'avec Baba Amr : la présence des femmes. À Baba Amr, à part lors des manifestations, elles sont presque invisibles, alors qu'ici elles sont partout, mêlées aux hommes. C'est avec des détails comme ça qu'on se rend compte à quel point Baba Amr est un quartier conservateur.

————

Vers 15 h, visite d'un point de santé clandestin avec Bilal. On nous sert du thé, et Zayn me montre sur son Smartphone un long clip, filmé par elle ici même, d'un chauffeur de taxi qui s'était pris une balle au visage en train d'agoniser au sol devant le canapé où je suis assis, tandis que les médecins tentent désespérément de le garder en vie en l'intubant et en lui faisant des massages cardiaques. L'homme gît dans une flaque de sang, sa cervelle à moitié au sol. Il meurt.

Elle me montre un autre film du cadavre d'un jeune gars à la barbe bien taillée, tué le même jour que le chauffeur. C'était un soldat ASL, Abu Saadu, qui était allé parler aux soldats *mukhabarat* d'un poste pour les convaincre de se joindre à l'ASL. Un *mukhabarat* a posé son arme et lui a dit : D'accord, je me joindrai à vous. Abu Saadu s'est rapproché et le *mukhabarat* a sorti un pistolet caché et l'a tué d'une balle dans l'œil. Vidéo d'un autre jeune mort, snipé à la gorge, d'une activiste voilée et le visage caché par des lunettes de soleil, qui chauffe une foule au micro devant la mère et le fils d'un martyr.

Une des infirmières a travaillé avec le Croissant-Rouge. À un checkpoint, on leur a dit : «Nous, on leur tire dessus, et vous, vous les sauvez.» Elle explique que le Croissant-Rouge ne peut venir dans tous les quartiers, ils se font régulièrement tirer dessus. Alors ils conviennent par téléphone d'un rendez-vous avec les médecins locaux, qui leur amènent le blessé à un endroit sûr.

La blessure de Bilal. L'armée avait blessé un homme d'une balle dans le cou. Ils pensaient qu'il était mort. Ils l'ont transporté à un autre endroit, l'ont posé par terre, puis ont appelé Bilal ou un de ses contacts pour qu'ils viennent le chercher, afin de le piéger. Bilal est venu avec un ami, l'armée les attendait et a ouvert le feu. —

À suivre, car un blessé arrive dans une voiture, est porté dans le centre et couché sur le ventre. Il gémit, crie : «Allah, Allah!» Il a une balle dans le bas du dos. Jeune, gros, barbu, la trentaine, ses bras pendent sur le côté de la table de soins. Il ne sent pas ses jambes. Très peu de sang. Halète, gémit. A mal au ventre. Bilal lui demande : «Tu es recherché?» — «Non.» Bilal appelle l'hôpital, il faut qu'il soit évacué ASAP.

Sans doute paralysé. Injection, perfusion. «Mon ventre, mon ventre», gémit l'homme sans cesse. Ne saigne pas trop, la balle n'est pas ressortie. Frappé dans la colonne. Le Croissant-Rouge arrive vite, en sept à huit minutes, et l'évacue. Prend sa carte d'identité.

Bienvenue à Khaldiye.

L'infirmier qui nous parle après, Abu Abdu, travaillait à la clinique privée al-Birr, dans le quartier d'al-Waar. Aussi à l'hôpital de Bab Sbaa. A très souvent vu ce genre de cas, cent cinquante à deux cents au moins. Pense que les snipers visent la colonne. Ce sont de petites balles, des balles de sniper, pas des balles perdues de kalach. A aussi vu de nombreuses personnes blessées par ce qu'il appelle des balles explosives, peut-être des dum-dum.

Bilal me montre de nouveau son téléphone. Un homme avec tout le ventre ouvert, poumons et boyaux dehors que des médecins repoussent dedans. Tous ces téléphones sont des musées des horreurs.

Suite du récit de Bilal. Bilal, quand l'armée a ouvert le feu, a couru pour fuir l'embuscade. Il frappait aux portes et suppliait qu'on lui ouvre, personne n'ouvrait, finalement il a défoncé une porte pour entrer dans un appartement. C'est à ce moment qu'il a reçu la balle au bras. L'armée a commencé à mitrailler l'appartement. Une fillette de six ans a pris une balle dans la jambe. Elle pleurait : «Tonton, tonton, j'ai jamais été aux manifestations.» Il avait déjà appelé l'ASL, qui a envoyé, dit-il, deux cents hommes en renfort. Certains sont entrés dans l'appartement par-derrière et lui ont donné une arme. Ils ont contre-attaqué l'armée pour récupérer le blessé. C'est ce moment qu'on voit dans le film que Bilal nous montre, où il tire. Ils ont réussi, et le blessé, miraculeusement, a survécu.

Ce point de santé était auparavant un salon de coiffure. Ouvert déjà depuis deux mois. Il y en a un autre à Khaldiye. Le point que Raed connaissait a été découvert par les *mukha-*

barat, qui ont arrêté le médecin, confisqué le matériel, et mis les scellés sur le lieu. Il n'y a pas de médecin dans les hôpitaux clandestins, le seul médecin a été arrêté. Six collègues d'Abu Abdu ont aussi été arrêtés, et lui a quitté son hôpital de peur d'être arrêté à son tour.

———

Bilal nous amène juste au-delà de la limite du quartier, à Bayada où on va loger. Il a une belle voiture, un gros 4 × 4 à fauteuils en cuir, automatique, c'est visiblement un homme avec des moyens. On traverse rapidement une avenue, où un barrage de l'armée se trouve à cent mètres, puis on entre dans un quartier touffu, avec des hommes de l'ASL. L'appartement a été prêté par un copain parti en voyage, qui a laissé les clefs pour loger des blessés ; il y en a un dans une chambre qui dort, blessé il y a deux semaines par balles, à la poitrine et au ventre.

Ici, c'est le quartier des Caucasiens. Arif, un petit jeune en keffieh assis avec nous, est d'origine adyghe. Bilal, lui, est bédouin.

J'ai encore de la fièvre et je demande qu'on aille m'acheter de l'ibuprofène. Je tente de donner un billet. Bilal : « Si tu offres de l'argent, c'est que tu es avare. Parce que, quand je viendrai chez toi, tu n'offriras pas l'hospitalité. »

Explications de Bilal. Les officiers des checkpoints sont changés toutes les deux semaines. Quand ce sont des officiers de l'armée, ça va, c'est calme. Quand ce sont des *mukhabarat*, ça tire tout le temps. En ce moment, sur l'avenue du Caire, la grande rue qu'on a traversée, c'est un *mukhabarat*. Hier ils n'arrêtaient pas de tirer, pendant trois heures le sniper n'a laissé personne traverser.

19 h. Toujours de la fièvre. C'est l'heure de la manifestation. On va à la place centrale de Khaldiye. Les gens ne sont pas encore là, seulement quelques dizaines de jeunes qui écoutent une musique révolutionnaire, trop forte mais très entraînante, sur les haut-parleurs. La place, qui s'appelait le Jardin des Hauteurs, a été rebaptisée place des Hommes Libres. Au coin, on a érigé une copie en bois, peinte en noir et blanc, de la vieille horloge centrale de Homs, située sur une place où, il y a quelques mois, une tentative de sit-in a été réprimée dans un bain de sang par les forces de Maher, le frère de Bachar. Signification de cette copie : le centre-ville, maintenant, est *ici*. L'horloge est couverte de photos de martyrs, la plupart en couleurs, de format A4.

Grande place rectangulaire, avec une pelouse et des arbres, entourée de monticules de sacs-poubelle entassés dans la rue. Sur un côté, une large banderole : «Non à l'opposition imaginaire, une création des bandes d'Assad. Le CNS nous réunit, les factions nous dispersent.» Allégeance claire des manifestants au Conseil national syrien. À part le coin de l'horloge, illuminé par les spots de la manifestation, tout est plongé dans le noir. Seules quelques boutiques, un coiffeur avec un beau fauteuil rouge, se découpent dans l'obscurité, les passants apparaissent comme des ombres fantomatiques dans les phares de voitures.

L'horloge est entourée de vendeurs ambulants, c'est là où on avait rejoint Bilal quand le taxi nous a déposés. Raed retrouve un petit garçon blond, aux doigts très rouges et au sourire joyeux, qu'il avait photographié en novembre. Beaucoup de choses ont changé depuis, les activistes de l'infor-

134

mation, maintenant, filment sans se cacher le visage. Le garçon a onze ans et s'appelle Mahmud. Il s'exclame : « Comment tu es rentré dans ton pays sans te faire prendre par les barrages ? Tu es un homme fort, un héros. »

La foule s'amasse et la manifestation prend forme. Le meneur fait la liste des villes insurgées : « Idlib, nous sommes avec toi jusqu'à la mort ! Telbisi, nous sommes avec toi jusqu'à la mort ! Rastan, nous sommes avec toi jusqu'à la mort ! », etc.

Un gamin commence à chanter d'une voix fausse et éraillée, et les danses en lignes débutent.

Le meneur : « Nous ne nous révoltons pas contre les alaouites ni contre les chrétiens. Le peuple est uni ! »

Tous : « Le peuple, le peuple, le peuple est uni ! »

Meneur : « Nous ne nous en remettons qu'à Dieu, pas à la Ligue arabe, ni aux observateurs, ni à l'OTAN ! »

Tous : « Nous ne nous en remettons qu'à Allah ! » (× 3).

Ce qui est extraordinaire avec ces manifestations, c'est la puissance qu'elles dégagent. C'est une liesse collective, populaire, une liesse de résistance. Et elles ne font pas que servir d'exutoire, de moment de défoulement collectif pour toute la tension accumulée jour après jour durant onze mois ; elles redonnent aussi de l'énergie aux participants, elles les emplissent quotidiennement de vigueur et de courage pour continuer à supporter les meurtres, les blessures et les deuils. Le groupe génère l'énergie, puis chaque individu la réabsorbe. C'est à ça aussi que servent les chants, la musique et les danses, ce ne sont pas que défi et mots d'ordre, ce sont aussi — précisément comme le *zikr* soufi dont elles prennent les formes — des générateurs et des capteurs de force. C'est comme ça que les gens tiennent et continuent à tenir, grâce à la joie, au chant et à la danse.

———

Cybercafé, un peu plus loin au bout d'une rue. D'après un gars, trente-neuf morts aujourd'hui à Homs, dont vingt-trois à Bab Tedmor. L'armée a bombardé.

Ce cybercafé est le repaire de tous les activistes de Khaldiye, qui y viennent poster sur YouTube et les réseaux sociaux leur travail du jour, films de manifestations ou d'atrocités. Raed y avait passé pas mal de temps en novembre, et avait un moment logé dans un appartement juste au-dessus, du balcon duquel il avait réussi un jour à photographier des blindés des forces de sécurité qui effectuaient une descente. J'y consulte mes mails, y réponds, puis rédige le récit du passage de Baba Amr à Khaldiye.

23 h. Un ami de Bilal vient nous chercher à l'internet café en camionnette. Quand on part, il allume le plafonnier, pour passer un checkpoint ASL, puis il éteint tout, phares compris, et on traverse l'avenue du Caire dans le noir, le plus vite possible. À l'appartement, il n'y a toujours pas d'électricité.

En fait, il n'y a pas d'électricité du tout dans ce quartier. Un tank a détruit le transformateur.

Bilal raconte : il y a trois jours, les *shabbiha* ont chloroformé et enlevé à Insha'at une avocate qui défendait les détenus politiques, et l'ont battue très violemment.

L'officier en charge de l'ASL à Khaldiye est le *mulazim awwal* Omar Shamsi. Raed connaît Shamsi, il l'a photographié du côté de Telbisi en novembre. Il faisait partie de la *katiba* Khaled ibn Walid. Il a été invité pour venir à Khaldiye, former les soldats. Il y a maintenant des échanges réguliers d'officiers entre les *katibas*.

Ceci est un point important. L'ASL, à ses débuts, s'est organisée sur une base très territoriale : les officiers, quand ils faisaient défection, rentraient chez eux et prenaient le commandement de soldats du village ou du quartier, comme Hassan à Haqura, qui commande les troupes du quartier où il vit. Comme me l'expliquera un interlocuteur quelques jours plus tard, l'invitation faite à Omar Shamsi de venir de Telbisi à Khaldiye est le signe d'un pas en avant dans la professionnalisation de l'ASL.

Bilal : La victime de cet après-midi est restée paralysée. Il traversait entre Kussur et Khaldiye, et s'est pris la balle. Seule victime à cet endroit-là, le sniper a tiré juste comme ça.

Depuis l'incident de Bilal, quand ils vont chercher un blessé hors de Khaldiye, ils prennent une voiture de l'ASL avec cinq hommes dedans comme escorte.

Hier, il y a eu cinq morts à Homs.

Mercredi 25 janvier

Réveil tardif, 11 h. Toujours fiévreux. On se prépare vite. Raed demande à Bilal pour les vingt-trois morts d'hier. « Déjà enterrés. » Ça nous paraît absurde. Sortie dans un taxi avec Abu Adnan, un activiste ami de Raed. On va voir un enterrement à Safsafi, à la limite des quartiers alaouites. Passage par le centre et la vieille ville. Grande mosquée Khaled ibn Walid, irréelle dans la brume, au milieu d'un parc. Immeuble de la Sécurité. Puis on entre dans le souk, dense, touffu, animé, un labyrinthe d'échoppes. Il y a des hommes de l'ASL ici, mais cachés. Sniper de l'armée en face, sur un immeuble. En temps normal, il ne tire pas. Mais s'il y a un affrontement, il tire pour que les gens s'enfuient. Il y a eu une bataille il y a trois jours. Les forces de sécurité sont juste à droite, à cent mètres. On tourne à gauche et on s'enfonce dans le souk. Labyrinthe embouteillé, des montagnes d'immondices encombrent les rues. Les gens essayent d'en évacuer une partie eux-mêmes, mais n'arrivent pas à suivre. Après les échoppes, un peu plus loin, un poste ASL. Calligraphie encadrée sur les sacs de sable : « La liberté est un arbre qui s'irrigue avec du sang. » On arrive à une maison au fond d'une allée, une maison à l'ancienne avec une belle cour intérieure pavée, où on retrouve d'anciens amis de Raed. Bien sûr, on est arrivés trop tard pour l'enterrement. On discute dans la cour. Un gars me sort un sac plein de restes d'obus divers, tombés sur le quartier. Au-dessus de la cour, le ciel est gris, poisseux. Tout est mouillé.

Discussion sur les morts et les enterrements éclairs. Abu Bilal [*un activiste de Safsafi, à ne pas confondre avec Bilal*] explique que les enterrements ne sont plus comme avant, qu'ils ne donnent plus lieu à des manifestations : le cimetière est à découvert, et les snipers sur la citadelle de Homs tirent s'il y a une foule. Ils enterrent donc en petit comité, vite fait.

Du coup, tout est très difficile à vérifier. C'est ce qui explique la différence entre les chiffres de l'Observatoire syrien pour les droits de l'homme et ceux qu'on entend ici, car l'OSDH ne publie que des chiffres confirmés. Pour hier l'OSDH dit un mort à Homs. Mais nos amis insistent, à Bab Tedmor il y en a eu des dizaines. Un immeuble, visé par les bombardements, se serait effondré, et on continue à tirer des cadavres des décombres ; un autre, connu pour abriter des activistes, aurait été ciblé par un colis piégé. On va aller voir.

Un activiste : « Vous n'êtes pas du *Figaro*, au moins ? *Le Figaro*, c'est vraiment pourri. » Ça va, on est du *Monde*.

Cette sortie est une référence directe à l'article rédigé par Georges Malbrunot dans Le Figaro *du 20 janvier 2012, mettant l'ASL en cause dans la mort de Gilles Jacquier, sur la base d'une source anonyme à Paris citant une source anonyme à Homs. La direction du* Monde *a demandé à Georges Malbrunot de partager le nom de sa source, afin que Raed et moi-même puissions aller discuter directement avec elle sur place ; alléguant la sécurité de sa source, Georges Malbrunot a refusé de donner suite à cette proposition. Un article détaillé publié dans* Le Monde *du 23 janvier 2012 resitue l'information publiée par* Le Figaro *au milieu de toutes celles disponibles à cette date, qui tendent dans leur ensemble à fortement mettre en cause la responsabilité du régime syrien dans la mort du journaliste français et des huit syriens tués en même temps que lui.*

La maison est dans une ruelle défendue par deux barrages ASL, un de chaque côté. Raed va en photographier un, et ça provoque un nouvel esclandre interminable avec les soldats, qui ne sont pas d'accord.

Un autre activiste appelle pour se plaindre de la façon dont Raed a été traité par le soldat. « On vous amène un journaliste ami et vous vous comportez mal. »

Retour au barrage. Tout est réglé. Barrage de *shabbiha* juste à gauche, un peu plus loin.

————

On repart en taxi pour aller plus loin, à Bab Sbaa. On est avec Abu Bilal et aussi Omar Telaoui, un activiste connu pour ses interventions vidéo, il est déjà passé à la télévision, sur al-Jazeera et France 24.

D'après eux, on serait les premiers journalistes étrangers à venir ici. À un coin de rue, un magasin entièrement détruit, criblé de milliers de balles. Sur le mur à côté, un graffiti en vert : « Attention sniper ». Barrage *shabbiha* dans l'axe, à cent mètres, ils tirent tout le temps ; un vague tas de sable bouche l'entrée de la rue, pour masquer un peu les gens et les voitures qui passent.

Sur la rue principale, plus loin, des soldats ASL.

Visite au cimetière, magnifique avec ses vieilles tombes dans l'herbe, sur fond de brouillard. La citadelle et ses snipers sont juste derrière, à deux cents mètres, invisibles dans le brouillard. Mais il paraît qu'ils peuvent nous voir, on doit raser les murs et faire très gaffe aux trous. Maisons mitraillées, avec des traces d'impacts de RPG. Sur un côté du cimetière, un large trou dans le mur, récemment pratiqué pour donner accès à une partie à l'abri des tirs, pour les enterrements.

Retour vers la rue principale. À un checkpoint ASL, un soldat qui se fait appeler Abu Ahmed (de Nasihine, un quartier de Homs) nous montre sa carte de l'armée : « On nous a amenés dans les rues pour combattre des gangs armés. Je n'ai vu aucun gang armé. Ils nous ont dit : Les munitions ne valent rien, tirez, tirez autant que vous pouvez. » C'est pour cela qu'il a déserté. « Ils nous ont donné des grenades à fusil et nous ont dit : Tirez ! Ils m'ont amené à Rastan le 1er juin. Il n'y avait aucune résistance militaire, personne ne tirait, il n'y avait que des manifestants pacifiques. L'armée s'est mise à tirer avec des Chilka [1] et des BMP, avec les grenades à fusil. Moi, je n'ai pas tiré. Je me suis tiré une balle dans la jambe. » Il nous montre la cicatrice. « On est restés huit jours à Rastan. Puis on est partis à al-Waar. La balle, je me la suis tirée le 26 septembre, quand on voulait nous renvoyer à Rastan pour la deuxième fois. » Affirme qu'il n'a jamais tiré sur la foule, qu'il s'est caché. Ça semble peu crédible, vu qu'il a été en opération quatre mois.

1. *Chilka* est le nom russe du ZSU-23-4 ou *Zenitnaïa Samokhodnaïa Oustanovka*, « Système automoteur antiaérien », une arme antiaérienne autopropulsée de conception soviétique, légèrement blindée et munie de quatre canons de 23 mm. L'armée syrienne s'en sert apparemment en tir tendu contre des cibles au sol, dans des situations de combat urbain.

Ce quartier est mixte, chrétien aussi. «Les chrétiens sont nos frères.» Cent mètres plus loin, Nezha, un quartier alaouite. C'est là qu'il y a les barrages des *shabbiha*.

Bilal Z. Soldat des forces spéciales. Jeune, presque imberbe, juste une vague moustache. Envoyé à Homs pour la répression : «Je n'ai pas tiré sur les gens, j'ai tiré en l'air.» Il a vu un soldat qui refusait de tirer sur les gens, en disant : «Ce ne sont que des civils», et on lui a tiré une balle dans la jambe. Mais on ne l'a pas tué.

Une femme en *niqab* : «Dans cette rue, dans chaque maison il y a un martyr. Ça fait bientôt un an que ça dure. Quand est-ce que ça va s'arrêter ? On ne peut plus marcher dans les rues en sécurité.» Voix aiguë, plaintive. Bien habillée, manteau de qualité, mais on ne voit que ses yeux : «On est des gens qui travaillent, mais on n'arrive même plus à se nourrir. On en arrive à dépendre des dons. Faites parvenir notre voix !»

Dans une rue devant un hôpital privé, des gens attendent pour acheter du mazout, avec des dizaines de bidons posés au sol en ligne.

Visite de l'hôpital privé de Bab Sbaa. Au quatrième étage, impacts de balles sur les portes et les fenêtres, tirées depuis la citadelle. Il reste sept infirmiers et infirmières, un médecin aux urgences, deux gynécologues et un anesthésiste.

Ils n'acceptent plus de patients, ou en tout cas ne peuvent plus les garder, de peur qu'ils soient blessés par les tirs. N'acceptent que les urgences, et ne gardent les gens que un jour maximum. Les lits sont vides, ce sont les infirmières, voilées mais visage découvert, qui expliquent. Un

143

des jeunes activistes ne cesse de nous filmer pendant qu'on discute, c'est un peu énervant mais il dit que c'est juste pour lui.

L'hôpital ne peut pas mettre de sacs de sable contre les tirs, car la Sécurité fait régulièrement des descentes. S'ils voient des sacs, ils vont accuser le staff de soigner des activistes ou des soldats. La Sécurité est passée huit fois, la dernière fois il y a quinze jours. Il y a trois mois, ils ont arrêté un membre du personnel qui fait des analyses de sang, et l'ont accusé de faire des analyses pour des soldats ASL. Il a nié, mais ils l'ont gardé un mois, et l'ont torturé à l'électricité, en versant de l'eau sur son corps. À sa sortie il a quitté le pays, il a fui en Jordanie.

Aucun des médecins ni des aides-soignants ne peut plus travailler à l'hôpital. Ils ont dû signer une promesse de ne plus soigner personne.

On entend un impact bruyant. C'est la citadelle qui vient de tirer sur l'hôpital. Tout le monde rit.

Depuis que l'ASL s'est implantée dans le quartier, il y a vingt jours, on peut amener à l'hôpital des malades et des blessés. C'est l'ASL qui amène du sang et des médecins quand il faut. Mais ils ont peur d'une vraie opération militaire, avec des blindés ; là, l'ASL ne pourra pas résister.

Beaucoup de problèmes d'approvisionnement. Des problèmes aussi pour faire venir des médecins spécialisés, à cause des barrages. Samedi dernier, ils ont reçu un homme avec le ventre ouvert. Un chirurgien a réussi à l'opérer, à enlever les balles, mais il leur fallait un second spécialiste pour finir l'opération. Il devait venir d'un autre quartier, mais Bab Sbaa était bouclé par la Sécurité, impossible de le faire entrer. Ils ont essayé de transférer le patient en ambulance à une autre clinique, impossible aussi. Finalement il est mort.

À la sortie, cohue autour du camion qui distribue le mazout. Agglutinés sous la pluie drue autour de la camionnette, les hommes s'engueulent avec véhémence. Mais beaucoup rient aussi, on ne sait pas trop si c'est sérieux. La queue semble assez ordonnée. Omar, filmé par un autre activiste, prononce un bref discours devant la file, sous la pluie.

À ce stade, nous n'avions encore rien mangé de la journée, et avions très faim. Sur la rue principale, près de l'hôpital, un petit magasin vendait des shish taouk, des brochettes de poulet, toutes prêtes. Mais après une discussion avec Omar, le vendeur nous a dit qu'elles étaient toutes commandées, et Omar a insisté pour qu'on vienne manger chez sa fiancée : «Tout est prêt», il nous a promis.

Attente chez la fiancée d'Omar [*qui restera enfermée dans la cuisine, et qu'on ne verra jamais*]. Omar est recherché, il y a deux millions sur sa tête. Moi : «Deux millions de dollars ou de livres?» — «Livres.» — «Ah, c'est rien alors.» Rires. Les cinq frères et le père d'Omar sont aussi recherchés. La Sécurité est passée neuf fois chez lui, ils ont tout cassé et pillé, l'appartement est vide. Avant, il avait un magasin, il vendait des climatiseurs. On lui a aussi cassé tout son magasin. Il a vingt-quatre ou vingt-cinq ans.

Un petit se joint à nous, Mohammed, le frère de la fiancée d'Omar. Il a quatorze ans. Son frère Iyad, vingt-quatre ans, a été tué la semaine dernière. Trois balles : il nous montre les endroits, côté, épaule et jambe. Il marchait avec sa famille près du cimetière, l'armée avançait pour entrer dans le quartier, et ils se sont mis à tirer. Mohammed était là avec ses parents et sa sœur. Un ami d'Iyad a aussi été blessé. Il n'y avait pas d'ASL là, pas de résistance, les soldats ont tiré pour rien. Iyad n'est pas mort sur le coup, la famille l'a pris et s'est enfuie en courant ; ils ont réussi à le porter à l'hôpital, plus bas, mais ils n'ont pas pu le faire soigner car l'armée est entrée dans le bâtiment. Ils ont réussi à l'évacuer par une porte dérobée et à l'amener à un appartement voisin ; le temps qu'un médecin arrive, il était trop tard. Ils l'ont enterré en tout petit comité, à seulement quatre personnes. C'est à ce moment-là, par peur des snipers, qu'ils ont pratiqué le trou dans le mur du cimetière, par lequel on avait passé la tête tout à l'heure.

Le garçon raconte tout ça tranquillement, sans émotion apparente, d'une voix fluette d'enfant. Même ici dans la pièce chauffée, il garde ses gants et son bonnet. Il a le teint très jaune, mais je ne sais pas à quoi c'est dû.

Il y a aussi là son petit frère Aamir, quatre ans. Mohammed à son frère : « Que veut le peuple ? » Aamir, d'une toute petite voix : « Le peuple veut la chute du régime ! »

Mohammed ne va plus à l'école depuis quatre mois. Des militaires et des *shabbiha* sont venus et ont emporté quatre enfants. L'enseignant a protesté mais ils l'ont menacé : « Mêle-toi de tes affaires et tais-toi ! » Ils étaient très nombreux. Mohammed ne connaît pas les noms des enfants arrêtés et ne sait pas ce qu'ils sont devenus. À ce moment-là, les enfants des écoles sortaient manifester ; ces quatre-là ont dû être dénoncés pour avoir participé.

Raed lui demande : « Comment tu savais que c'étaient des *shabbiha* ? » — « Ils avaient des grosses barbes et le crâne rasé. » D'après Raed, c'est le look typique des *shabbiha*, un look de gangster alaouite.

Finalement, on ne pourra pas rentrer à Khaldiye aujourd'hui. On dormira à la maison à Safsafi, dans la vieille ville, près des postes ASL. Problème de nos sacs. On aurait dû les garder avec nous, mais personne ne nous l'a dit. Le chauffeur qui pourrait les apporter n'est pas libre.

Il est 16 h et on n'a toujours rien mangé. Ça n'aide pas mon état. À 15 h Omar disait : « *Wallah*, c'est prêt, c'est prêt », et je le lui rappelle. Abu Bilal : « C'est un professionnel de l'information. Il ment beaucoup. » Rires de nouveau.

Discussion sur le djihad. Ils ne veulent pas d'une déclaration du djihad. Ça ne ferait qu'amplifier la crise. Ça l'internationaliserait, entraînerait l'Arabie saoudite, l'Iran, etc. Plein de groupes étrangers viendraient se battre ici, la révolution échapperait au peuple syrien.

Nous : « C'est ce qu'on a essayé d'expliquer à Abderrazzak Tlass. Mais il n'écoutait pas, ne voulait pas comprendre ça. »

Raed : « Vous avez une conscience politique plus avancée que les militaires. »

Eux veulent une intervention de l'OTAN.

Enfin, à 16 h 30, on mange. Le père de Mohammed est arrivé entre-temps et mange avec nous, un monsieur digne, à la moustache et aux cheveux blancs, qui cache sa tristesse. Le repas, qui a bien tardé en dépit des promesses d'Omar, est magnifique : poulet en sauce, boulgour à la viande, haricots blancs en sauce qu'on verse sur le boulgour, radis blanc, oignons verts, olives.

———

Après, on ressort, pour retourner à la maison des activistes à Safsafi, dans le vieux Homs. On trouve un soldat

ASL qui a une voiture et on remonte la grande rue. Au fond, il y a une mosquée qu'ils veulent nous montrer, criblée de balles. Il fait déjà sombre et ils braquent les phares de la voiture pour qu'on voie. Le sniper se trouve un peu plus haut sur la droite ; le soldat se met au coin et crie le plus fort qu'il peut : « Vas-y, tire, espèce de proxénète ! » Malgré des cris et des insultes répétés, le sniper ne tire pas. Puis on repart. On prend une rue perpendiculaire, vers le bas, longue et droite, le soldat coupe les phares et accélère, la rue est étroite et on fonce à toute vitesse, le gars à côté de moi murmure : *« Bismillahi er-rahman er-rahim »*, puis on traverse comme une flèche une large avenue, presque invisibles dans la grisaille de la nuit, pour nous engouffrer dans une ruelle en face où le soldat freine abruptement en allumant les phares. On s'arrête à deux mètres du mur d'une mosquée ; sur un poteau, devant nous, sont accrochés plusieurs pneus : « Pour les voitures qui ne freinent pas à temps. » Tout le monde éclate de rire.

L'avenue qui sépare Bab Sbaa de Safsafi est sous le tir d'un barrage, c'est uniquement comme ça qu'on peut passer d'un quartier à l'autre, ici. Les gens appellent ça une *shari al-maout*, une « rue de la mort ».

Puis on va à la maison des activistes, leur QG à Safsafi. Dans la pièce du fond, bien chauffée, trois ordinateurs portables avec internet. Deux jeunes font leur prière pendant que j'écris et que Raed consulte ses mails.

18 h. Arrivée des commandants ASL du quartier. Ils voudraient savoir qui on est et ce qu'on fait ici. Raed explique.

Ne veulent pas qu'on montre des photos des checkpoints ici, car le quartier n'est pas entièrement libéré et ils ne veulent pas donner une impression fausse. Pas libéré veut dire qu'il y a encore des forces de sécurité dans le quartier, des barrages, à la différence de Baba Amr où les barrages sont tous à l'extérieur. «Vous prévoyez d'attaquer les barrages, de les dégager?» — «Oui, *inch'Allah*.» Il y a des accrochages tous les jours déjà. Au début, l'armée et les *shabbiha* entraient dans le quartier et attaquaient les manifestations. Quand l'ASL a commencé à résister, ils ont envoyé des blindés. C'est pour ça qu'ils ont construit les barrages, pour retarder les blindés. Ils ont aussi des RPG. Petit échange sur les tactiques. Pour eux les Molotov sont inutiles contre les blindés.

Dix-sept groupes ASL dans le quartier, au nombre d'hommes variable. Abu Ammar, un jeune civil maigre, à la barbe clairsemée et aux traits creusés, commande un groupe de trente hommes.

Un autre officier se plaint de la façon dont les gars de Bab Sbaa gaspillent les munitions. Tous les soirs, un soldat de l'armée s'approche de la limite du quartier et tire un RPG, puis s'enfuit. Les soldats ASL rappliquent et vident des chargeurs dans le vide. «C'est stupide, ça ne sert à rien.»

Le plus redoutable pour eux, c'est les snipers. La nuit, dès qu'il y a un mouvement, les snipers tirent. Les gens ne peuvent pas se déplacer. C'est pour ça qu'ils quittent le quartier.

Les barrages de l'armée dans le quartier sont installés dans des maisons dont ils ont délogé les habitants. Sacs de sable devant et blindés autour. Très difficile à approcher. La nuit, les snipers se mettent en place. Les gens qui habitent autour ont dû quitter leurs habitations, trop dangereux. Mais depuis que l'ASL a pris position, il y a un mois et demi, des gens ont pu revenir chez eux. L'ASL a une dizaine de

barrages dans toute la zone de vieille ville, Homs *al-qadimeh* :
Bab Sbaa, Safsafi, Bab Drib, Bab Houd, Bab Tedmor, Bab
el-Mazdoud. Dans la même zone, il y a une quinzaine de
barrages des forces de sécurité.
Labyrinthe de ruelles, de maisons décrépies et de petits
immeubles vieillots. Un des officiers : «La vieille ville a
aussi la particularité d'avoir beaucoup de chrétiens. Dans
la rue Hamidiye, une rue commerçante fortement chrétienne, l'ASL avait une bonne entente avec les gens. Il y a
vingt jours, l'armée a attaqué, occupé la rue et installé des
barrages. Depuis, les chrétiens se plaignent : ils ne peuvent
plus circuler librement, l'armée se comporte mal avec les
femmes et, la nuit, on ne peut plus se déplacer ; beaucoup
veulent quitter le quartier, mais l'ASL essaye de les
convaincre de rester en disant qu'ils vont occuper des
positions. »
Discussion avec un officier qui se présente comme Abu
Layl, «le père de la nuit» : «Il n'y a pas de chrétiens dans
l'ASL. Ils restent neutres. Ils participent aux manifestations,
mais ne rejoignent pas le combat militaire. Ils sont une
minorité et ont peur des représailles du gouvernement. Ils
vivent dans des quartiers protégés. »

———————

Manifestation du soir de Safsafi, à 19 h. Petite, une
centaine de personnes peut-être sur une petite placette,
mais la même énergie intense que partout ailleurs. Des
jeunes et des enfants surtout. Des jeunes m'entourent,
veulent me parler avec leurs cinq mots d'anglais. Chacun
me montre ses cicatrices, des impacts de balles ou de coups
de matraque. L'un m'explique que son frère a été tué par
un sniper de la citadelle, au volant de sa voiture, pour rien.

Dès qu'on arrive à un endroit, tout le monde veut raconter tout de suite.

Le meneur ici, un jeune gars debout sur une échelle, *misbaha* à la main, est un chanteur plus doué que la moyenne. Il vient me voir quand un autre prend sa place. Il parle un anglais rudimentaire mais compréhensible : «*Next week I go Saudi Arabia. Please do not show face. Wednesday I go. Face big problem*[1].»
Un autre gars : «*Assad Army see us, shoot. This why we here. We can't go wide road. They shoot*[2].»
Même slogan que tous les jours : «*No-fly zone*, protection internationale».

———

Dans un des ordinateurs des activistes, les photos de tous les papiers, visas et autorisations d'un certain Pierre Enrico Piccinin, un journaliste belge apparemment (né à Gembloux!) entré officiellement en Syrie, qui s'est échappé de son groupe un après-midi pour venir à Homs. Petite vidéo tournée à Bayada, où il explique en français ce qu'il fait là.

21 h 30. Visite à l'imprimerie clandestine d'Abu Ayham, un jeune homme qui parle un peu français. C'est autre chose que les imprimeries clandestines de la Résistance, les presses à bras de Marc Barbezat ou de Minuit : un ordinateur connecté à une grosse Encad 736, capable d'imprimer en couleurs sur des feuilles plastique de quatre-vingt-dix centi-

---

1. «La semaine prochaine je pars Arabie saoudite. S'il te plaît, ne montre pas visage. Je pars mercredi. Visage, gros problèmes.»
2. «Armée des Assads nous voit, ils tirent. C'est pour ça qu'on [manifeste] ici. On peut pas aller sur une rue large. Ils tirent.»

mètres de large. C'est ici qu'ils fabriquent les affiches et les banderoles pour les manifs, avec des slogans ou des caricatures comme celle de Bachar, actuellement sur l'écran, qui dit avec une tête comme une ampoule dévissée : « Je pense, donc je suis un âne. »

L'affiche qu'ils impriment en ce moment est pour les checkpoints de l'ASL. Elle dit, en dessous du logo : « Aux officiers et aux soldats de l'armée. Nous vous appelons à rejoindre les officiers libres pour protéger le peuple. »

Dehors, des tirs assez réguliers en provenance de la citadelle. L'ASL ne riposte pas. Ce sont juste des tirs de nuisance. Mais, précise un des gars, des gens se font régulièrement tuer comme ça, alors qu'ils n'ont parfois absolument rien à voir avec la révolution.

Ce même homme nous montre une liasse de billets de 500 livres syriennes. Ce sont des faux grossiers, truffés d'erreurs. Ils les a reçus à la banque et n'y comprend rien.

On sort et on se rend au checkpoint un peu plus loin. Deux soldats se chauffent à un brasier. L'un d'entre eux a une lunette de vision nocturne que j'essaye. C'est la première fois et le résultat est étonnant : on y voit comme en plein jour, mais en vert. Tout est net, précis, le brouillard ne gêne en rien. Du coup on se rend compte à quel point les types en face voient tout — la nuit ne protège de rien.

Je demande si avec ça on peut aller voir la fameuse citadelle, que je n'ai toujours pas aperçue. On nous entraîne dans une ruelle à gauche du checkpoint. Juste quand on s'y engage, une grosse détonation, tout près. Cris, alarmes. « Le sage Péripatéticien ne s'exempte pas des perturbations, mais il les modère » (Montaigne). Pas de blessés. On continue tandis que Raed retourne photographier. On frappe à la porte d'un immeuble et Abu Layl m'entraîne sur le toit, cinq étages plus haut. Il faut faire attention pour regarder, la citadelle se trouve d'un côté, un poste de l'armée de l'autre. Même sans lunette la beauté du spectacle est irréelle, un panorama chaotique de toits éclairés ici et là par de rares lumières, orange dans la brume, avec des minarets dressés au-dessus, tout autour de nous. Abu Layl tente d'abord de me montrer le barrage mais, malgré la lunette, je ne le vois pas. La citadelle est de l'autre côté, une masse sombre et immense, hérissée d'antennes et aussi d'arbres, beaucoup plus proche que je ne le pensais, trois cents mètres peut-être. Je ne regarde pas longtemps. On redescend en saluant les habitants sortis sur leurs paliers. À un palier, un jeune homme debout sur une chaise, lampe de poche entre les dents, tente de réparer le disjoncteur de l'immeuble. Dans la rue, tout est calme. Je rentre à la maison tandis que Raed continue à photographier.

La maison, je m'en rends compte, n'est pas que le QG des activistes, mais aussi de l'ASL du quartier. Une des pièces, verrouillée par un cadenas, mais avec une porte vitrée, contient leur arsenal : deux RPG, une dizaine de kalachs, quelques M16, discernables à travers un mince rideau.

Un peu plus tard un des activistes amène les restes du RPG qui vient d'exploser. La tête sent encore la cordite. Raed, quand il rentre, m'explique qu'il a éclaté contre une muraille de la vieille ville, sans dégâts à part une camion-nette Suzuki dont toutes les vitres ont sauté. Juste à côté de l'impact se trouve une arche fermée par des sacs de sable : les soldats pensaient peut-être que c'était une position ASL.

Après, travail sur les ordinateurs. J'installe Google Earth et on me montre où on était aujourd'hui. « L'avenue de la mort» entre les quartiers de Safsafi et de Bab Sbaa donne en fait droit sur la citadelle.

Pas une seule femme dans cette maison. Cet après-midi, quand on mangeait chez la belle-famille d'Omar, les femmes restaient cachées dans la cuisine. Je n'ai jamais vu sa fiancée. Les seules femmes à qui on ait parlé aujourd'hui, ce sont les deux infirmières de l'hôpital et la ménagère furieuse, en *niqab*, dans la rue. On est vraiment assez proche d'une *purdah*[1] à l'afghane.

Un peu après minuit, dîner dans la grande pièce, avec une vingtaine d'hommes de l'ASL. Un véritable festin, il y a de tout : omelette, haricots froids en salade, fromage, *labneh*, *mutabbal*, petits *sfihas* chauds, et du halva pour dessert. Un des hommes se fait appeler Abu Maout, le Père de la Mort. Ses trois frères sont morts, et sa mère a fait un vœu de cuisiner tous les jours pour les soldats de l'ASL, jusqu'à la fin de la révolution. Les hommes lui apportent les produits et elle prépare tout ça.

On dort dans la pièce du fond, le QG des activistes, groupés autour du poêle, avec Abu Bilal.

---

1. Mot persan pour «rideau», qui désigne la stricte séparation des sexes dans certaines cultures musulmanes.

Jeudi 26 janvier

SAFSAFI – BAB DRIB – KARAM AL-ZAYTUN –
BAB TEDMOR – SAFSAFI

Nuit difficile. Insomnie puis rêves extravagants, l'impression de ne pas avoir dormi du tout. Omar Telaoui a travaillé sur son ordinateur jusqu'à presque 4 h, illuminé seulement par la lumière de l'écran. Au petit matin je me réveille de nouveau. Lumière froide, voix. Tirs, pas des rafales de kalach, mais des coups uniques, des tirs de sniper. Je me demande s'ils portent. Vers 9 h 30 je suis de nouveau réveillé par le téléphone d'Abu Bilal et je le secoue. Quelqu'un de son entourage a été tué, il ne sait pas qui. Par un des coups que j'ai entendus ? Autre appel : c'est un de ses voisins, un enfant de douze ans, de Bab Drib. Ils tirent aussi sur les gamins. Pour rien, absolument pour rien. Si ce n'est pour punir ce peuple rétif et maudit, coupable de refuser de courber la nuque et d'obéir en silence à son seigneur et maître. Le punir à petit feu.

On plie les couvertures et on part voir le corps du petit.

Mais avant, pendant qu'on cherche une voiture, balade dans le quartier. Tout est brumeux, humide. On me montre l'impact du RPG d'hier, sur une porte de rue ancienne. Puis on traverse une large avenue. Le fort est à une ou deux centaines de mètres, on voit très nettement les positions des tireurs dans la brume.

155

Je suis peu à l'aise mais il semble qu'on n'ait pas le choix. En fait si, Abu Bilal nous a fait traverser juste pour nous montrer, il faut donc retraverser. Notre dépit le fait bien rigoler. On trouve enfin la voiture et on s'y entasse à six, avec Omar et Abu Adnan qui est arrivé avec nos affaires. À un checkpoint ASL, on prend aussi un gars avec une kalach, Abu Jafar : Bab Drib est peu sûr, les quartiers alaouites et les *shabbiha* ne sont pas loin. On louvoie dans les ruelles puis on traverse deux *shawari al-maout* sur les chapeaux de roues, en murmurant « *Bismillahi er-rahman er-rahim* ». À l'entrée de Bab Drib, un checkpoint ASL. Pas loin il y a une école, où est posté le sniper qui a tué le petit. On trouve la rue, mais l'enfant est déjà à la mosquée. On y va à pied. Il y a des soldats ASL partout. Le corps est dans la salle de prière au sous-sol, dans un catafalque en bois, enveloppé dans un linceul, avec des fleurs en plastique autour de la tête, entouré d'enfants et de gens plus âgés. Trois enfants pleurent discrètement contre un pilier. On découvre le corps pour nous montrer la blessure, au niveau du ventre. La peau est déjà jaune, les yeux légèrement entrouverts, on lui a bourré les narines d'ouate. Il a un début de moustache, un léger duvet. Filmé par Abu Bilal, Omar prononce un bref discours rageur devant le corps.

L'enfant s'appelait Mohammed N. et avait treize ans, pas douze. C'est le père qui nous parle. Il cassait le bois pour la *sobia* devant la maison, hier soir vers 23 h. Il avait une petite lumière et le sniper l'a abattu. Je demande si on peut publier le nom : « On a perdu ce qu'on a de plus cher, peu nous importe[1]. » L'enfant n'est pas mort sur le coup, ils ont essayé de l'amener à la clinique, il est mort d'hémorragie.

1. Pour les raisons expliquées dans la note liminaire, je ne publie pas le nom complet de l'enfant, malgré l'autorisation donnée par son père.

Le père entouré d'amis, digne, garde tout pour lui. Juste les yeux, humides et gonflés.

Leur maison se fait tirer dessus tout le temps. Criblée de trous. Le sniper a aussi tué un handicapé mental, un autre enfant de quinze ans, il y a dix jours.

Sur le téléphone d'une des personnes qui nous entourent, vidéo du lavage du cadavre d'un homme mûr, tué d'une balle à la tête par un autre sniper. C'est le frère de celui qui me montre le film. Son fils de onze ans, sur un vélo, a pris une balle à l'épaule, il s'est rué pour le sauver et le sniper l'a abattu. Sans doute un *shabbiha*, le tir venait du quartier alaouite de Nezha, depuis un barrage.

Attroupement autour de nous. Les histoires fusent. Un jeune gars nous montre une grosse cicatrice sur son dos. Il avait crié *Allahu akbar !* en traversant une rue et s'est pris une balle.

Un autre homme : « On n'ose même plus sortir les poubelles. Après 16 h, on ne peut plus mettre un pied dehors. » Il habite la même rue que celle où le petit a été tué. Cette rue est tellement dangereuse que l'homme dont le frère a été tué a percé les murs entre sa maison et celle de son frère, ainsi que celle de son voisin, pour pouvoir s'y rendre sans sortir.

Un autre jeune homme, de la même rue, me raconte que son père a été tué. Ça s'est passé à un endroit différent, il ramenait les courses et a été tué depuis la citadelle. La porte de l'appartement de cette famille est sous le feu du sniper de l'école, ils ont aussi dû percer une ouverture derrière pour sortir.

Ce sniper s'amuse aussi à tuer les chats. Il en a déjà tué huit. Il y a environ quatre-vingt-dix soldats dans l'école, des sacs de sable aux fenêtres, et l'édifice est en béton. Le sniper est en sécurité.

Un autre gamin nous montre sa main, deux doigts sectionnés par une bombe, et son ventre, constellé de petits points noirs, les cicatrices d'une des fameuses *nail bombs*. Il a treize ans.

Encore un gamin, treize ans aussi, avec des cicatrices de *nail bomb* aux jambes.

Un homme se déshabille, montre son torse couturé de cicatrices. Il ramenait du pain et du lait avec son fils. Au niveau du barrage, il a fait un signe : «Attendez, je traverse», et ils lui ont tiré trois balles dans le corps. Il s'est rué sur le petit et l'a plaqué au sol, couché sur lui, faisant toujours le geste : «Attends, attends.» Des gens ont fini par le tirer de la rue avec un bâton.

Le frère de l'enfant mort lui dit au revoir, l'embrasse et le caresse doucement, en pleurant. Il lui caresse le visage avec une tendresse infinie. Puis c'est le tour du père, à la tête du catafalque, tandis que le frère pleure sur l'épaule d'un proche. À côté, un homme murmure *Allahu akbar, Allahu akbar, hamdulillah*, avec ferveur.

Beaucoup d'enfants autour du cercueil, des jeunes aux yeux rouges. Les fenêtres de la salle de prière sont bouchées par des murs de parpaings, pour protéger les fidèles des tirs.

Prière du midi. Un jeune chasse les mômes autour du catafalque : «Allez prier.» Après, on amènera le corps devant la *qibla* puis on fera la prière des morts. Ensuite il sera porté au cimetière et enterré tout de suite. Une douzaine de soldats ASL nous accompagneront pour nous protéger.

Au moment voulu, une foule de jeunes et d'enfants s'agglutinent autour du catafalque et le soulèvent en scandant *La ilaha ilallah*. Il est posé devant la *qibla*, le père et le frère juste devant, le reste des fidèles alignés. L'imam prononce une oraison scandée par les fidèles : « Il n'y a de Dieu que Dieu. » Puis il passe du côté des fidèles et mène la prière. Il répète *Allahu akbar !* mais la prière est silencieuse. Puis les fidèles saluent les anges et emportent le corps en chantant « *La ilaha…* »

Dans la rue, petite manifestation. Debout sur un mur, des jeunes hurlent des slogans tandis qu'on fait tourner le catafalque en cercles. Puis la foule part à travers les petites rues, deux jeunes assis sur les épaules d'autres jeunes mènent les cris, des soldats ASL tirent en l'air, au pistolet d'abord puis à la kalach, une femme voilée de noir regarde en pleurant. Près du cimetière, l'escorte ASL se dégage de la foule, une dizaine d'hommes en uniforme, avec un RPG. Tirs en l'air, on passe entre les tombes, la boue colle aux pieds, le trou est prêt, avec des parpaings au fond. Coups de feu en l'air, le corps est soulevé et mis en terre, le frère pleure, le père est tassé contre le mur, livide. Un fossoyeur entoure et couvre le corps de parpaings. Le père se rapproche et dit une courte prière pour son fils. Tout le monde sort dans la rue, la famille s'aligne, et les proches et amis passent en leur serrant la main et en les embrassant. Je passe à mon tour. Puis Raed.

Les activistes proposent alors de nous amener voir une autre atrocité, je ne comprends pas exactement quoi ni où. Mais en cours de route le plan va dérailler. On se retrouvera alors dans le quartier de Karam al-Zaytun, au sud-est de la citadelle, à la limite des quartiers alaouites.

On part, toujours à sept dans la voiture. Grosse accélération à certains carrefours. Puis subitement on vire dans une rue. On sort. Il y a des tirs devant. Hésitations, Raed part en courant. J'avance jusqu'au checkpoint ASL un peu plus loin, en longeant le mur de l'avenue où résonnent les tirs, sur une trentaine de mètres. Puis Abu Jafar et Omar m'entraînent et on court dans les rues. Il y a un blessé civil, on nous dit. On arrive à une petite clinique clandestine. L'homme est couché dans son sang sur la table d'opération tandis qu'on lui prodigue les premiers soins. Il a pris une balle à travers la base du crâne. Il halète encore, crache le sang. On l'assoit pour qu'il vomisse du sang tandis qu'Omar crie un discours pour la caméra d'Abu Bilal. Le garçon, qui paraît très jeune, est semi-conscient et roule des yeux, le visage couvert de sang. Il tressaute, n'arrête pas de vomir du sang. Mais la trajectoire est basse par rapport à la cervelle, il a peut-être une chance ? On le sort sur un brancard et on le charge dans un taxi qui démarre en klaxonnant tandis que des tirs crépitent. C'est toujours le même tireur. Le docteur dit qu'il pourrait survivre, *inch'Allah*.

Le témoin arrive, un homme mûr dans une veste camouflage. C'est un soldat ASL qui était au checkpoint, près de la mosquée Saïd ibn Amir. Le jeune homme est arrivé avec un sac plein de médicaments à la main, pour ses parents, un sac transparent qu'on nous montre. Sa carte d'identité est dedans. Il s'appelle Omar A. et il est né en 1985. Il traversait la rue vers le barrage ASL et les forces de sécurité l'ont shooté.

Un autre cas urgent arrive, non, deux, un homme âgé et une grosse femme. Chaos. La femme s'est pris une balle dans la mâchoire et me regarde avec des yeux exorbités, emplis d'effroi. On l'assoit pour la bander. La blessure est profonde mais ne semble pas mortelle. L'homme, lui, est blessé à l'épaule gauche. Il halète tandis qu'on lui prodigue les premiers soins, roule des yeux, agrippe la main de Raed. La femme pansée, on la couche sur un brancard pour l'évacuer. Ils n'ont aucun matériel ici pour opérer. L'homme est toujours conscient, il halète mais ne se plaint pas, il souffre. « Ça c'est rien, dit le docteur. Il en est venu un, c'était que de la viande. En bas il ne restait plus rien. » À côté du blessé, je patauge dans le sang. Abu Bilal se tient la tête, il a l'air de ne plus en pouvoir. On charge le blessé dans le cul d'une camionnette, avec sa perfusion. Un autre homme se couche à côté de lui. Il ne doit pas être vu sinon les barrages tireraient de nouveau.

On va discuter avec le docteur, chez lui, à côté du point d'urgence. Klaxons. Encore un autre cas, mais ce n'est pas trop sérieux et on ne ressort pas. Il est 13 h 30, tout ça s'est passé en à peu près quarante-cinq minutes.

La plupart des blessés sont transportés à l'hôpital de Bab Sbaa, où on était hier. Mais souvent là non plus il n'y a pas de médecins. Sinon ils les amènent à Insha'at, ou ailleurs. À Bab Sbaa, les médecins sont très inquiets. Ils ne peuvent pas garder les blessés. Dès que l'opération est achevée, ils les renvoient chez eux, encore sous anesthésie. Pas de post-op.

Le jeune de vingt-sept ans, Omar A., est mort, nous annonce un homme qui vient d'entrer.

Le docteur est en fait un aide-soignant, un *moussaïd fanni*. Il n'y a plus de médecins dans le quartier, dit-il. Ils ont fui à cause des arrestations systématiques de docteurs. Ils partent dans des endroits protégés, à la campagne. « Les médecins sont visés depuis le début des événements », nous explique-t-il, comme tous ses confrères. Lui porte un pistolet à la ceinture.

Un témoin explique pour les deux victimes. Elles ont été blessées séparément. La femme passait devant la mosquée, comme Omar A., et le barrage (un barrage mixte *shabbiha*-Sécurité) lui a tiré dessus. Une heure plus tôt un homme sortait de la mosquée et s'est pris une balle dans le cou. Il est mort au point de santé, avant qu'on arrive. Plus personne n'ose aller à la mosquée, ça tire trop, quatre personnes par jour, pas plus. Le premier tué était un de ceux-là. Le témoin est un habitant du quartier, un civil. L'homme blessé à l'épaule, quant à lui, a été touché à un autre endroit, une rue derrière.

On nous explique : il y a une succession de rues tenues par les *shabbiha*, avec des barrages à chacune. Ils tirent sur tout ce qui bouge dans l'axe, homme, femme, enfant.

Discussion sur la nourriture. Les falafels qu'on trimballe depuis la mosquée, et auxquels on n'a pas touché, sont restés dans la voiture. L'aide-soignant envoie chercher quelque chose. Il est 13 h 45 et on n'a toujours rien mangé.

Klaxons. Encore un blessé. On y va. Tant pis pour la bouffe.

Quatre blessés en fait. Trois légers. Un sévère, meurt devant mes yeux, sans que je m'en aperçoive, dans un tressaillement. Impact à la mâchoire et au côté du ventre. Gît là en slip imbibé de sang, tout jeune.

On ramène le vieux de tout à l'heure, celui qui était blessé à l'épaule. Il est mort. Le cadavre d'Omar A. est là aussi, couché au sol. On étend le troisième mort près d'eux pendant que les soignants s'affairent autour des trois blessés. Il n'a pas été tué par des balles, mais par des éclats, les billes rondes des *nail bombs*.

Abu Adnan pleure discrètement dans un coin, bouleversé. Les trois autres sont aussi blessés par des billes, mais aux extrémités. Ça va. On les recoud sans anesthésique, les gars sont stoïques. Un des blessés est un étudiant en médecine. On essaye de parler, mais on amène un bébé, blessé à l'aine par une balle qui est ressortie. Le bébé pleure. En fait ce n'est pas trop sérieux.

[*La tension monte vite, et on commence à craindre une incursion des forces de sécurité. On pose des questions à ce sujet.*] Le quartier est sécurisé par l'ASL, trente soldats. On nous dit qu'on ne risque pas une attaque.

Quand on se déplace on trébuche sur les cadavres. C'est très chaotique, il y a des gens partout.

L'étudiant blessé à la jambe, très calme, se fait lui-même une injection à la cuisse. Il soignait des blessés à un autre point de santé, un obus est tombé juste devant. Il est sorti aider les victimes, un second obus est tombé, c'est là qu'il a été blessé et qu'a été tué le jeune homme à la mâchoire éclatée.

Il y a une attaque. Chaos et tirs dans la rue. On sort.

Attroupement. Déchaînement plus loin. On y court tous, Raed devant, moi avec Omar et Abu Bilal, qui flippe. Trois, quatre rues plus loin, foule hystérique. Ils sont en train d'achever de lyncher un *shabbiha* qu'ils ont attrapé. Des types furieux empêchent Raed de photographier. Confusion. «*Go, go.*» On retourne à la clinique et nos amis décident d'évacuer le quartier. On nous met dans un camion pick-up pour nous amener à notre voiture. Raed et moi nous couchons, les autres rigolent et se foutent de notre gueule. La camionnette nous laisse au checkpoint ASL. Il faut le contourner et courir trente mètres le long du mur sur l'avenue pour rejoindre la voiture. Pas le choix de toute façon. Avec la voiture, pareil : on doit remonter l'avenue, sur plusieurs centaines de mètres, dos au barrage qui tire. On s'entasse. Apparemment, une voiture pleine d'ASL va passer derrière nous pour nous couvrir. Je n'ai même pas la place de me pencher. *Bismillahi er-rahman er-rahim, La ilaha ilallah*, on fonce. Long moment de solitude. Enfin on vire à gauche et la tension éclate en rires et en cris : «*Takbir ! Allahu akbar !*»

On s'arrête. Un pick-up noir arrive avec deux soldats ASL debout à l'arrière, au-dessus d'un cadavre. C'est un homme massif, nu sous une couverture, couvert de sang, couché sur le ventre, la tête écrasée et les bras liés pendouillant du cul du pick-up : visiblement, le *shabbiha* lynché. On dirait qu'on lui a écrasé la tête à coups de crosse. Tout autour les gens hurlent *Allahu akbar !* L'ASL promène le corps dans le quartier, procession triomphale de vengeance sanglante.

On repart. Plusieurs traversées d'avenues dangereuses. Les gars veulent nous amener voir les immeubles détruits hier. Mais quand on arrive d'autres soldats ASL nous disent : non, on ne peut pas approcher, c'est trop dangereux. Tout près d'une avenue, sous le béton d'un immeuble en construction, on se pose près d'une *sobia* pour manger les falafels. J'ai du mal à avaler mais je me force à mastiquer quelques bouchées. Il est 14 h 45 et j'ai les pensées claires, lucides.

Après les falafels, on nous amène par des petites rues voir l'immeuble effondré, un immense tas de gravats au fond d'une ruelle, qui fume encore. Ici nous sommes à Bab Tedmor, un autre quartier de la vieille ville. Quelques hommes essayent en vain de déblayer, il y aurait encore des corps sous les décombres. Ils ont déjà extirpé treize morts. D'après les gens du quartier, l'immeuble se serait effondré suite à une pluie de RPG, mais ça semble peu crédible. [*Notes prises plus tard, le soir.*] Après, on rentre. Ce n'est pas trop compliqué, il y a seulement une dernière avenue à sniper à traverser. Juste quand on débouche, un taxi apparaît en face, on doit faire une grosse embardée. Puis on passe. Dès qu'on est à l'abri, on éclate tous en cris : « *La ilaha ilallah* », puis : « *Takbir — Allahu akbar !* » On hurle comme des fous, un défoulement bref. Puis on traverse le quartier.

Les gars insistent encore pour nous montrer une mosquée criblée d'éclats. Je suis épuisé, je n'ai toujours presque rien mangé, on me commande des *sfihas*, mais avant qu'ils ne soient prêts une camionnette passe à toute allure avec un blessé, on saute dans la voiture pour la suivre, je tanne Raed qui, comme moi, n'en peut plus : « Allez, le journaliste, on retourne au boulot, allez ! Ça va être quoi celui-là, la mâchoire ? La jambe coupée ? Le ventre ouvert ? » Raed apprécie moyennement. Mais la camionnette traverse l'avenue pour Bab Sbaa et on décide de ne pas la suivre. Ils nous traînent encore à une maison, pour nous montrer un autre blessé, plus ancien, qui a eu les deux jambes traversées par une balle tandis qu'il travaillait sur son toit pour réparer quelque chose. Je suis tellement épuisé que je n'ai même pas la force d'enlever mes bottines, et je reste dans la cour, affalé sur une chaise. Mais des tirs nourris commencent, assez près, alors j'enlève les bottines et j'entre. Raed photographie, le gars est couché sur un canapé, les deux jambes dans le plâtre. Je ne prends aucune note. Puis on rentre. Dans la rue, des soldats ASL trottent dans la direction opposée, certains avec des RPG. Les tirs continuent, ils claquent sur les murs au-dessus de nous, c'est les soldats de la citadelle qui tirent tout autour pour terroriser les habitants. Ça durera plus d'une heure ; au crépitement des kalachs s'ajoutera vite le martèlement plus soutenu des mitrailleuses. Un peu plus tard Abu Layl nous dira que l'ASL a contre-attaqué un barrage qui avait tiré sur des civils, et a tué deux soldats.

En rentrant je me sens absolument vidé, à plat, drainé de toute énergie. Je pisse, me lave les mains et le visage, et me brosse les dents avec une brosse et du dentifrice achetés dans la rue. Je n'avais pas eu le temps de le faire ce matin.

Après, assez rapidement, on nous sert à manger, une omelette, du *labneh* et du halva. C'est délicieux et ça retape. Les activistes travaillent déjà, je m'y mets aussi. Dès notre retour à la maison, ils se sont rués sur leurs ordinateurs et se sont mis à bosser, quatre gars en tout, face à face autour de la table. Les vidéos sont chargées, traitées et uploadées sur YouTube en moins d'une heure. Les liens fusent sur Facebook, sur toutes les pages des révolutionnaires. Un peu plus tard, Abu Bilal donne un entretien en direct sur Orient TV, au téléphone.

Abu Layl a apporté une grande feuille plastifiée avec une photo Google Earth de la zone qui va de la Citadelle à la rue Sittine (la rue Soixante). Les snipers qui tiraient sur la mosquée Saïd ibn Amir sont à Wadi al-Dhahab, un quartier alaouite. Au nord de la zone, là où il y a les postes *shabbiha* qui tirent rue après rue, c'est Zahra. Ce matin, on a passé ces rues en longeant la piscine al-Jala, derrière le grand cimetière de Bab Drib. Le gosse a été enterré au petit cimetière, de l'autre côté de l'avenue.

Les informations tombent. Après notre départ de Karam al-Zaytun, l'armée a lancé des obus sur quatre maisons, faisant pour le moment trois morts et une cinquantaine de blessés. Puis les *mukhabarat* et les *shabbiha* ont pénétré dans le quartier, entrant dans les maisons et arrêtant des gens. Ils attaquent en tirant de manière indiscriminée, puis avancent avec des BTR, l'ASL ne peut pas résister. D'après Omar, qui a eu un contact là-bas au téléphone, ils seraient entrés dans une maison et auraient fusillé toute une famille, douze personnes. Ça fait trois jours que les *shabbiha* menacent les gens de ce quartier pour qu'ils partent parce qu'ils veulent implanter des postes dans les maisons. Ils ont distribué des tracts ordonnant aux gens de partir. L'attaque et le massacre d'aujourd'hui font suite à ça.

D'après la télé, Qusayr serait bombardé. Ça risque d'être compliqué de sortir.

19 h. Des groupes ASL quittent le quartier pour aller renforcer Karam al-Zaytun. Sur YouTube, un activiste de là-bas a déjà posté un film du massacre : quatre petits enfants ensanglantés sur un lit, dont un nourrisson apparemment, un cinquième au sol, l'œil explosé, qui n'a pas dix ans, une femme jeune et encore voilée, peut-être la mère, d'autres corps. Tout le monde regarde, on se la passe en boucle.

Abu Layl entre et nous propose de retourner à Karam al-Zaytun voir les corps. Je suis trop nerveusement épuisé pour me mettre debout, encore moins pour ressortir, mais Raed se secoue, se lève et dit : « *Yallah.* » Aucun des activistes ne veut y aller et Abu Layl les engueule : « L'étranger y va et vous n'y allez pas ? Vous n'avez pas honte ? » Finalement l'un d'eux accepte et ils partent.

20 h. Les mosquées lancent le *takbir*. Je ne sais pas ce que ça veut dire. On entend les *Allahu akbar* chantés en chœur, entrecoupés de tirs.

L'ASL ne riposte pas aux tirs depuis la citadelle. Ça ne sert à rien et ça gaspille des munitions.

Aux dernières informations, les enfants de la maison ont été égorgés, et on a écrit *Ali* sur leur poitrine. Si c'est vrai, c'est une tentative délibérée de pousser à la guerre confessionnelle. Mais à vérifier.

21 h. Les tirs reprennent. Abu Bilal donne un entretien par Skype.

21 h 15. Retour de Raed. Trois des enfants ont été égorgés, les autres exécutés à bout portant d'une balle dans la tête. Deux enfants ont survécu, Ali, un garçon de trois ans, et Ghazal, une fillette de quatre mois, blessée par balle. Deux adultes de la famille ont aussi survécu, ils étaient au travail quand ça s'est passé. [*Les corps, tout comme les deux enfants survivants, avaient été amenés au point de santé de Karam al-Zaytun où nous étions plus tôt, et c'est là que Raed les a vus. Contrairement à l'information reçue, il n'y avait pas de « signature chiite » sur les cadavres.*]

Quand Raed est arrivé là-bas, le bébé gazouillait, mais le garçon de trois ans était en pleurs, terrorisé, personne n'arrivait à le calmer. J'ai vu ça après sur YouTube, c'est encore pire que les morts. De toute façon, c'est toujours pire pour les survivants que pour les morts, les morts ne sentent plus rien.

Les victimes appartiennent à une famille élargie qui habitait dans deux maisons contiguës. Sunnites, mais ils habitaient une rue majoritairement alaouite. Le massacre n'a pas eu lieu à Karam al-Zaytun, comme on le pensait, mais à Nasihine, vers 15 h 30. On nous montre exactement où sur la photo Google Earth imprimée : c'est dans une rue au sud de la mosquée de Bab Drib où on a suivi les funérailles du petit ce matin. Au-delà de l'avenue, c'est un quartier alaouite ; les immeubles-barres à l'ouest de la rue sont aussi alaouites.

Il y a trois témoins oculaires, des voisins qui ont vu arriver les tueurs en BTR, vêtus d'uniformes militaires avec au front des bandeaux, noir sur jaune, avec le slogan « *Ya Ali !* » — des chiites, donc, si c'est vrai. Ça pourrait aussi être une provocation, pour intensifier la haine entre les communautés. Les témoins affirment avoir vu, par un trou pratiqué dans le mur de la maison, la fin du massacre : sept tueurs, en train d'assassiner les enfants. Quand les tueurs sont partis, le barrage au bout de la rue s'est mis à tirer pour couvrir leur fuite.

Raed a parlé à un des témoins, un homme de cinquante, soixante ans. Il n'exclut pas que l'homme n'ait pas réellement vu les faits. Les cadavres, par contre, sont irréfutables.

Le témoignage de cet homme nous ayant paru peu cohérent et moyennement crédible, nous avons laissé de côté nombre de ses informations dans les articles publiés dans Le Monde, *dont le détail sur le bandeau « chiite ».*

22 h. Al-Jazeera affirme que l'ASL à Baba Amr a capturé cinq officiers iraniens, travaillant comme snipers. La télé montre les cinq hommes, vêtus en noir, barbus, et une pièce d'identité illisible. On va les appeler pour vérifier, demander si on peut les voir.

Il apparaîtra clairement, une semaine plus tard, que cette vidéo était une intox, organisée, semble-t-il, par Abderrazzak Tlass. Les cinq hommes étaient bien des Iraniens, mais des ingénieurs

travaillant à la centrale électrique de Homs, capturés par l'ASL.
Les cartes d'identité censées les identifier comme des pasdarans
étaient en fait leurs certificats de décharge du service militaire.
Le Monde a publié un article fourni sur cette affaire, le 2 février,
rédigé par Christophe Ayad.

Les tirs reprennent, plus nourris et soutenus que jamais.
Plusieurs détonations, l'une après l'autre. Bruit comme un
feu d'artifice. D'après Abu Bilal, c'est Bayada et Khaldiye qui sont
bombardés. Des détonations plus proches, Bab Sbaa sans
doute. Les activistes sont connectés entre eux par un réseau
en ligne en temps réel, et s'échangent des informations entre
les quartiers. Les tirs ne cessent pas. De longs martèlements soutenus,
DCA sans doute, et obus, avec un bruit ininterrompu maintenant de kalachs et mitrailleuses.

Abu Adnan nous dit que c'est l'ASL qui attaque la préfec-
ture de police, au centre, ainsi que les barrages entre Bab
Drib et Karam al-Zaytun. Ils ont aussi détruit un BRDM [1]
sur la rue du Caire.

22 h 45. Les tirs et les bombardements se poursuivent
sans discontinuer. Les speakers de la mosquée locale se
mettent à hurler *Allahu akbar!* Dans la rue, des dizaines de
voix scandent *La ilaha ilallah!* et *Allahu Akbar!* Elles se
rapprochent puis s'éloignent.

Raed, qui était parti au checkpoint ASL, revient : «Ça pète
de partout. C'est pas des escarmouches, c'est la guerre.»

---

1. *Boïevaïa Razvedyvatelnaïa Dozornaïa Machina*, «véhicule de combat
de reconnaissance et de patrouille», un blindé soviétique à quatre roues,
amphibie et légèrement blindé, avec une tourelle généralement armée d'une
mitrailleuse 14,5 mm.

Vendredi 27 janvier

10 h. Réveil. Les gars dorment partout autour de moi, sur des petits matelas au sol ; Omar Telaoui dort depuis quatorze heures presque sans bouger. Il a plu une bonne partie de la nuit mais ça s'est arrêté. C'est calme. Il n'y a pas de tirs. Dehors tout est détrempé, on entend quelques tirs au loin, c'est tout. Il recommence à pleuvoir.

Midi, heure des manifestations du vendredi. Les activistes se séparent : Omar va à Bab Sbaa, Abu Bilal nous amène à Bab Drib, avec Mahmud, à la mosquée Hanableh où on s'était arrêtés hier commander les *sfihas* qu'on n'a jamais pu manger. Les gens du quartier organisent une nouvelle manifestation, et les activistes vont la diffuser *live* sur al-Jazeera pour les soutenir. Devant la mosquée, les arbres sont recouverts d'un immense drapeau révolutionnaire, noir-blanc-vert à étoiles rouges. On y est venus à pied, sous la pluie, ce n'est pas loin de là où on loge. Quand on arrive, c'est l'appel à la prière ; dans une boutique en face de la mosquée, des canaris dans des cages de toutes les couleurs trillent et chantent en chœur avec l'imam.

La mosquée se remplit, c'est le prêche. L'imam met l'accent sur la coopération dont les gens doivent faire preuve les uns envers les autres. Il faut venir en aide à ceux qui souffrent. Il rappelle la tradition du Prophète et de ses compagnons, qui se sont sacrifiés pour venir en aide à ceux qui souffraient. Abu Bakr a donné toute sa fortune aux nécessiteux. Le ton monte, prend des accents aigus, hystériques. La foule hurle en chœur *Allahu akbar!* L'imam parle de tout le sang versé dans le quartier : «C'est notre sang, toutes ces âmes tuées sont nos enfants. Mais, quand bien même, nous disons à tous nos oppresseurs, à tous nos tyrans, à tous ceux qui sont dans la démesure : Quoi que vous fassiez, la victoire sera pour nous.»

Quand on assiste à cette prière de midi du vendredi, on est frappé de voir à quel point le rituel sert à ressouder et unifier la communauté. C'est là que la volonté collective se forme et se dégage, focalisée par le prêche. À la différence de la prière chrétienne en Europe, à laquelle assiste seulement une poignée de fidèles, ici tout le quartier participe, adultes et enfants — les hommes en tout cas, c'est-à-dire ceux qui prennent les décisions concernant la collectivité. C'est vraiment un mécanisme de formation d'une «opinion publique», auquel participent d'une manière ou d'une autre même ceux qui ne sont pas d'accord, ou qui ne viennent pas à la prière. C'est grâce à de tels mécanismes qu'on peut parler de «volonté collective».

Fin de la prière. Comme d'habitude, grand cri collectif — «*La ilaha ilallah!*» — répété par tous, tandis que les fidèles se déversent hors de la mosquée en enfilant fluidement, sans trébucher (ce qui n'est pas mon cas), leurs chaussures. La manifestation se forme. Je traverse la rue et tente de faire une photo depuis un marchand de fruits. Immédiatement je suis pris à partie par deux hommes mûrs, moustachus, la quarantaine. Je range mon appareil de justesse et sors mon portable pour appeler Raed, pour qu'il vienne expliquer, tout en répétant : «*Sahafi fransaoui, sahafi fransaoui*[1]», deux des rares mots que je connaisse. Immédiatement un des moustachus m'arrache le portable en braillant et me saisit le poignet. Ça commence à hurler, j'essaye d'attirer l'attention de Raed, qui photographie un peu plus loin, il vient enfin. Engueulades, le type ne veut rien entendre, Raed est plus ou moins retenu aussi. Quelqu'un fait venir un militaire barbu qui pose des questions, Raed cherche Abu Bilal des yeux en expliquant qu'on est avec lui. Enfin un militant nous reconnaît et leur fait signe que c'est O.K. Le militaire me rend le portable en s'excusant.

Un homme m'entraîne dans un immeuble en cours de construction, mais déjà partiellement habité, pour regarder d'en haut. La pluie a enfin cessé et le soleil pointe entre les nuages. C'est le même rituel joyeux, les gens alignés dans la rue le long de la mosquée, les mêmes chants, les mêmes slogans, avec quelques nouveaux :

«Ô ma mère, ils ont égorgé les enfants de leur propre main!» [*Allusion au massacre de Nasihine de la veille.*]

«Le peuple veut la peine capitale pour le boucher!»

«Le peuple veut la militarisation de la révolution!»

Sous le meneur, des hommes déploient les banderoles imprimées par notre ami francophone. Ce vendredi est celui du droit à l'autodéfense.

Un des jeunes, dans la manifestation, agite un drapeau turc. «Pourquoi?» je demande à Abu Bilal. — «Ils n'en ont pas d'autres!»

---

1. «Journaliste français.»

Passage derrière la manifestation d'une dizaine de soldats ASL, en uniforme camouflage, trois même avec des casques. Immédiatement la foule se met à scander «Vive l'Armée libre!». Les gamins leur courent après et s'attroupent autour d'eux. Je les rejoins, au coin, près du checkpoint ASL. Les officiers se sont entassés dans un gros 4 × 4 noir, et trois soldats sont debout sur le pare-chocs arrière. Il y a là un *raïd*, un *naqib* et un *mulazim awwal*. Ils disent à Raed qu'ils sont venus protéger la manifestation, mais peut-être aussi sont-ils venus se montrer. Un gamin crie à son père: «C'est eux, c'est eux, c'est l'Armée libre!» Lentement ils se dirigent vers la manifestation, et entrent au milieu de la foule sous les cris de «Allah prolonge la vie de l'Armée libre!». Bain de foule, trois soldats debout sur le toit, puis ils avancent et partent. D'un coup la pluie se met à tomber et la manifestation prend fin.

Les hommes de l'ASL repassent et un vieux à moto vide son chargeur en l'air en rigolant. Puis un peu plus loin un poste de l'armée se met à tirer.

Apparemment, hier, l'ASL a mis une volée au barrage de Zahra d'où étaient partis les hommes qui ont décimé la famille. S'ils se montrent en force aujourd'hui, c'est sans doute aussi pour rassurer la population. Le 4 × 4 avec les officiers continue d'ailleurs à faire des allers-retours après la manifestation. Et les gens sont clairement contents de les voir, comme de nous voir d'ailleurs, crises de paranoïa mises à part. Pour beaucoup de Syriens, notre présence semble autant une marque de soutien moral que la promesse d'une information fiable à l'extérieur.

Je passe prendre des pommes et des mandarines au marchand de fruits. C'est un des hommes qui m'ont retenu tout à l'heure, et il ne me laisse pas payer. Retour sous la pluie. Près de la maison, une odeur alléchante m'attire vers un vendeur de kebabs. Onze jours en Syrie et je n'ai pas mangé un seul kebab. On en commande un kilo, pour tous les gars, que le fils du vendeur nous amènera dans une heure.

À la maison, Anjad, de retour de Bab Sbaa. Trois blessés, dont un grave, avec une balle qui a traversé les deux jambes. Les tirs ont repris depuis la citadelle. Néanmoins, pour un vendredi, ça semble calme.

L'ASL hier a attaqué trois lieux : des barrages à Zahra, des barrages sur la route de Damas, au début du quartier de Midane, et la sécurité militaire sur la place Hajj Aatef, dans le quartier de Midane. Ils seraient entrés dans le bâtiment. Dans les quartiers, ils ont pris de nombreux barrages, ont tué les soldats, pris les armes et les munitions, et se sont retirés. Ils ne peuvent pas tenir ces positions face aux blindés. Les opérations ont été menées par les gars de Baba Amr, la *katiba* al-Faruk.

En principe, d'après Anjad, l'ASL essaye de ne pas tuer les soldats de l'armée qui se rendent et de capturer les officiers, *mukhabarat* compris. Mais ils exécutent systématiquement les *shabbiha*.

Vidéo de la manifestation de Bab Sbaa. On brûle un portrait de Poutine avec celui de Bachar. Les manifestants les frappent avec leurs chaussures.

Les kebabs arrivent enfin. On dispose une nappe au sol et tout le monde s'agglutine autour, même Abu el-Hakam, le petit qui nous sert tout le temps le thé. Délicieux.

175

16 h. On sort. Lumière extraordinaire, le soleil perce sous les nuages et illumine des pans d'immeubles tandis qu'il pleut toujours. C'est calme, des gamins jouent dans la rue. On rencontre un soldat barbu, un policier qui a fait défection à cause des exactions du régime : « Le massacre d'hier est un exemple de pourquoi on lutte. » Son gamin de onze ans porte sa kalach.

Belle longue balade à travers le quartier. La lumière ne cesse de changer tandis que les nuages défilent. Les flaques reflètent le ciel et les façades. Il y a quelques tirs isolés, quelques détonations, mais globalement c'est calme. Sur une place où jouent des enfants, on bavarde avec des soldats ASL. L'un d'eux nous mène plus loin, à un immeuble en construction dans lequel on pénètre en escaladant un mur. On monte sur le toit, avec précaution : les ouvertures de l'escalier donnent sur la citadelle toute proche, deux cents mètres, pas plus. On la regarde en coin, une vaste masse de terre recouverte d'herbe verte et brillante, avec des fragments de murailles, surmontée d'un immense drapeau syrien que je photographie à la sauvette : pas la peine de se prendre une balle pour le drapeau d'Assad, plaisante Raed. La balade continue, on rencontre des habitants, des soldats ASL. Le quartier arpenté ainsi paraît minuscule, on ne peut pas faire cinq cents mètres sans buter sur une avenue contrôlée par un barrage, un axe de tir.

On visite la rue qui donne sur Bab Sbaa, celle avec les pneus au bout, qu'on avait dévalée l'autre soir. Plusieurs voitures passent à toute allure en direction de Bab Sbaa, sans se faire tirer dessus. La rue perpendiculaire offre un axe de tir à la citadelle, il faut longer le mur et faire attention. On rentre tranquillement.

Le Monde a passé nos informations d'hier en page 3, avec un appel en une et la photo prise par Raed. Ils lui demandent plus d'infos pour remettre une couche demain sur le massacre.

Raed rédigera plus tard, cette nuit-là, un long récit de sa traversée nocturne de la ville, la veille au soir, qui sera publié dans Le Monde *daté du dimanche 29 - lundi 30 janvier, avec une de ses photos des onze corps de la famille massacrée. Le samedi 28,* Le Monde *avait déjà publié une première photo, avec un article non signé rédigé à Paris sur la base des informations que je leur avais transmises par mail.*

Grosse engueulade entre les activistes. Anjad jette son appareil photo et son téléphone sur la table. Omar Telaoui le critiquait pour son légendage des vidéos YouTube de la veille. Apparemment une phrase ambiguë avait fait croire à beaucoup de gens qu'Omar était mort.

Douche chez Anjad. Immeuble cossu, juste à côté de la maison où on loge (qui l'est beaucoup moins, cossue je veux dire), avec des plantes dans l'escalier en marbre ; appartement bourgeois, avec de beaux meubles, impeccablement propre, des tapis de bonne qualité. Le père me reçoit dans le salon, près du poêle (les radiateurs — il y en a ici, chose rare — ne marchent pas, ils consomment trop de gasoil). Il a vécu longtemps à Bruxelles mais ne se souvient que de quelques mots d'anglais. La douche, la première depuis Baba Amr, est un moment magnifique. Raed arrive après pour la sienne et on boit le thé. Quand on part, Anjad tapote de l'ongle sur la porte du salon, pour prévenir les femmes, qu'on ne verra jamais. Même les bourgeois maintiennent la *purdah*.

Le père m'offre un très beau chapelet en pierre bleue. En arabe on dit *misbaha*, du mot *subhan* qu'on prononce quand on égrène : *subhan Allah*, « louange à Dieu ». Le mot persan que j'ai toujours utilisé, *tasbeh*, est formé sur la même racine.

———

2 h 30 du matin. Je n'arrive toujours pas à dormir. Dans la grande pièce de devant, celle des soldats ASL, ça chante depuis des heures. Je me lève et vais voir. Une vingtaine d'hommes sont assis tout autour contre le mur, fument des cigarettes et boivent du thé ou du maté, et chantent à tour de rôle, *a cappella*. Je ne comprends pas les paroles, bien sûr, mais on dirait des chants d'amour, peut-être aussi des chansons sur la ville. Les voix tremblent, gémissent, soupirent, quand un finit, un autre recommence. Un homme surtout mène le chant, un homme d'une quarantaine d'années, au visage étroit, barbu, un peu roux, les yeux rusés, entièrement édenté sauf pour une incisive isolée dans la mâchoire du bas. Il chante avec une émotion intense, concentrée, et semble connaître toutes les chansons qu'on lui demande. Quand il marque une pause, un autre reprend. Les autres écoutent, ponctuent, parfois battent des mains. Personne n'interrompt personne, il n'y a aucune concurrence ou compétition, chacun chante pour le plaisir de chanter et écoute pour le plaisir d'écouter, tous ensemble.

Samedi 28 janvier

SAFSAFI – BABA AMR – KHALDIYE – BAYADA

Il avait été décidé, avec la direction du Monde, que ces dix jours à Homs suffisaient pour le reportage, et qu'il était temps que je reparte vers le Liban, tandis que Raed, comme prévu initialement, resterait encore quelque temps. La veille, Raed avait téléphoné à l'ASL de Baba Amr, et il était convenu que nous viendrions ce matin pour qu'Ibn Pedro m'exfiltre au Liban. Diverses raisons, comme on le verra, feront que ça ne marchera pas ce jour-là, ni les jours suivants ; je ne réussirai enfin à sortir que le jeudi 2 février.

Matin. Réveil tôt pour départ à Baba Amr et, *inch'Allah*, plus loin avec Ibn Pedro. Dans la cour, un soldat pensif et mélancolique fume une cigarette, assis. Deux camarades le rejoignent. Bruits d'armes démontées mêlés à des bribes de chant. Tandis qu'on fait le thé un autre soldat arrive, poussant son vélo électrique. Il nous montre un long tube en métal tordu, un morceau de petite roquette, tombée ce matin à Karam al-Zaytun. Deux morts.

8 h 30. Un jeune chauffeur de taxi envoyé par Abu Adnan vient nous chercher. On part par les petites rues de Safsafi puis, au lieu de continuer par le souk, comme à l'aller, on sort, à mon

grand étonnement, sur l'avenue qui fait le tour de la citadelle, juste au pied du mont. En levant la tête, je vois très clairement les positions de tir, bordées de sacs de sable, juste au-dessus de nous. Ça n'a pas l'air de gêner le chauffeur, qui enfile une grande avenue vers le centre. Il y a un peu de circulation, tout semble normal. On passe pas loin du bâtiment de la sécurité militaire, on traverse un quartier, prend une autre avenue ; à un carrefour, au niveau du ministère de l'Éducation, le chauffeur fait un demi-tour juste devant trois soldats en faction, qui nous ignorent royalement. Puis c'est Insha'at, la traversée de la rue Brazil, et les premiers barrages ASL qui nous arrêtent : «Vous êtes qui ?» — «Des journalistes français.» Un peu étonnés mais pas chiants, ils nous laissent passer.

On retrouve l'appart de Hassan où on réveille Ahmad, toujours aussi ours. Attente. Ibn Pedro arrive vers 10 h 15. La conversation est rapide. Aujourd'hui, il ne va qu'au bled où on s'était arrêtés en route pour ici, puis revient à Baba Amr ; il pourrait me remettre à quelqu'un d'autre pour m'amener à Qusayr, mais ce n'est pas sûr. En plus, La Colère a oublié son portable à Tripoli et n'est pas joignable. Par contre, dans deux jours, il peut faire un A/R directement pour Qusayr, juste pour m'y amener. On en discute brièvement avec Raed, puis on opte pour cette solution. Retour donc à Khaldiye et Bayada.

———

Petit déjeuner assis sur un banc au soleil, sur le square central de Khaldiye. Un moment de grâce. Pâtisserie chaude fourrée aux noix et au miel, achetée à la «Pâtisserie Abu Yaser [sic]» dont l'enseigne est en français, et une sorte de boisson faite de crème chaude et de noix pilées, plutôt écœurante. Après, on va chez le coiffeur pour se faire raser, mais il est encore fermé. Ses voisins, dans un atelier de mécanique, nous invitent à boire le café. D'après eux, le bombardement de jeudi soir [*celui qu'on avait entendu depuis Safsafi*] n'a pas fait de victimes dans les alentours du square, même si une maison a été frappée par un mortier ; plus loin, ils ne savent pas. Il est 11 h 15.

Raed, hier soir, est aussi allé voir les chanteurs après que je me suis enfin endormi. Abu Layl et un de ses amis chantaient des quatrains d'Omar Khayyam, dans une version d'Oum Kalsoum. Raed a un peu chanté avec eux. Le *tarab*, l'émotion qu'on ressent en écoutant de la musique.

Les quintes de toux ne font qu'empirer jour après jour. Elles me démontent complètement, me laissent vide et tremblant pour de longues secondes.

Série de rafales tandis qu'on boit le café. Ça tire depuis un bâtiment à côté du cimetière al-Katib, dans une rue de Khaldiye. À ce moment-là on entend des cris. Un cortège déboule, des hommes portant un catafalque, scandant «*La ilaha ilallah !*», entourés d'hommes armés qui tirent en l'air. Le mort dans le catafalque n'est pas visible sous les fleurs en plastique. Il a été tué par un sniper. Le cortège file vers la mosquée, dans une pétarade de coups de feu. Je retourne achever mon café tandis que Raed lui court après pour le photographier.

Les cortèges funèbres que j'ai vus ici n'expriment pas le deuil et le recueillement, mais la rage et la douleur vive de la perte.

La foule s'est arrêtée un peu plus loin, à la mosquée, et je m'y rends avec un gamin qui me montre l'impact du mortier de jeudi, dans un appartement au dernier étage donnant sur le square. Raed est déjà dans la mosquée. Le catafalque est posé dans un coin, entouré de gens bouleversés et de badauds. Deux hommes en larmes, sans doute un frère et le père. La victime est un beau jeune gars, solide, vigoureux, transformé par la mort en poupée de cire jaunâtre. Raed me présente Abu Bakr, un activiste du quartier qu'il connaît d'avant. Abu Bakr explique que l'homme a été tué par un sniper ce matin à 8 h, en allant au travail. Il nous montre les vidéos qu'il a tournées, le corps ensanglanté avec le torse traversé par la balle, la mère et la sœur qui le secouent, incrédules, saisies par un deuil hystérique qui les dépasse.

Le moment de grâce a été de brève durée.

Raed reste photographier la prière et l'enterrement. Je retourne à l'atelier de mécanique. Le coiffeur où je veux me faire raser n'est toujours pas ouvert. Je reviens donc à la mosquée. La prière est sur le point de finir — le prêche pour le mort, d'après Raed, était bouleversant : «L'imam a vraiment amené les fidèles aux portes [*du Paradis*]» — et les gens se préparent pour la sortie du mort. Un jeune homme est hissé sur des épaules et, main levée, lance la première des invocations : «*La ilaha ilallah!*» Puis les invocations se suivent, reprises à pleins poumons par les fidèles, tandis que le meneur brandit un beau portrait encadré du mort, fait en studio et sans doute décroché du mur chez lui. «Au Paradis, par millions, nous irons en martyrs!» Puis le cortège part le long du square, suivi de soldats ASL qui tirent de longues rafales de kalach en l'air. Les gamins se ruent entre les pieds des gens qui défilent pour ramasser les douilles encore chaudes. «On est tous des martyrs! Tous!», hurle le meneur, c'est-à-dire des morts en puissance. Le cortège contourne le square jusqu'à la copie de l'horloge, où on fait faire des cercles au catafalque sous les invocations. Le cimetière est à cinq kilomètres, seuls deux ou trois personnes pourront y accompagner la dépouille, c'est trop dangereux. Le coiffeur est enfin ouvert et je peux me faire raser les joues et le cou. Je m'habitue au bouc, il servira encore quelques jours.

Devant le coiffeur, bref échange avec un jeune garçon très expressif. «*Shahid* : Ahmed.» Il explique : «*Kannas*», et mime une balle dans le dos de la tête et une à travers la poitrine. «*Uma shahid*», et avec les mains il mime les larmes qui coulent sur le visage de la mère du martyr. «*Haram*[1]», il conclut tristement.

En dialecte syrien, *kannas*, «sniper», se prononce *gennas*. Pluriel *kannasa*.

Discussion sur la place avec Marcel Mettlesiefen, un journaliste allemand à moitié colombien. Il est ici avec un visa touriste, pour la quatrième fois. On échange infos et contacts.

Marcel, qui ne parle pas arabe, était accompagné et aidé par un jeune et sympathique Syrien qui s'est présenté à nous sous le nom d'Omar. J'ai un peu discuté avec lui ce jour-là, et pris ses coordonnées, car il se disait prêt à travailler avec tout journaliste qui viendrait à Homs, et plusieurs amis me demandaient des contacts. Mais il a été tué, en secourant des gens blessés, lors du grand bombardement de Khaldiye le soir du 3 février. C'est seulement alors que j'ai appris son vrai nom, Mazhar Tayara, vingt-quatre ans.

---

1. «Interdit, illicite.»

Je vais chercher des kebabs, du foie pour changer, pendant que Raed attend son tour pour se faire raser. Il fait toujours aussi beau. Plus loin, de l'autre côté de la citadelle sans doute, on entend des détonations.

Les kebabs prennent une demi-heure plutôt que les dix minutes promises, mais sont délicieux. Raed est rasé et Abu Adnan nous rejoint. Assis au soleil, je bois un café et fume un cigarillo tandis qu'Abu Adnan organise le transport.

————

On passe de Khaldiye à Bayada en camionnette Suzuki, avec Abu Bakr de très bonne humeur. Pour arriver chez Abu Brahim, à travers un dédale de ruelles étroites, on doit passer quatre avenues ou rues à snipers. La dernière est apparemment la plus dangereuse. « C'est ici que sont morts tous les *shahids* du quartier », dit le chauffeur. Mais aujourd'hui les snipers ne travaillent pas trop, semble-t-il, et on traverse sans encombre, avec des passants et des enfants.

Chez Abu Brahim à Bayada, enfin.

Abu Brahim, un cheikh soufi responsable de l'aide humanitaire pour le quartier de Bayada, est le contact de Mani qui avait organisé notre passage depuis le Liban. Fadwa Suleiman, l'actrice alaouite passée du côté de l'opposition, et souvent présentée comme l'égérie de la révolution syrienne, habite depuis des mois chez lui, et j'avais aussi espéré pouvoir la rencontrer. Mais elle était partie à Zabadani, soutenir les gens là-bas qui résistaient depuis un moment à un siège et à des bombardements féroces.

Conversation. Les rumeurs d'une attaque imminente ? Abu Brahim ne le pense pas. S'il y avait des concentrations de troupes, il le saurait. C'est toujours possible, mais pas pour demain sans doute.

Quant aux snipers, ils continuent à tirer. Cet après-midi, feu nourri, un peu plus tôt, mais pas de blessés. Hier, trois blessés. L'ASL ici n'a pas assez de moyens, en hommes et en munitions, pour contre-attaquer.

Une nouvelle *katiba* a été formée dans la banlieue de Damas, la *katiba* Hussein ibn Ali, une référence curieusement chiite. Abu Brahim : « Non, on insiste, Hussein est aussi notre fils [*aux sunnites*]. Cela indique qu'on n'a pas de vues sectaires.»

Autres *katibas* opérationnelles à Damas et dans la grande banlieue : la *katiba* Abu Ubayda ibn al-Jarrah, la *katiba* al-Hassan, et la *katiba* Qawafil ash-Shuhada («les caravanes des martyrs»). La *katiba* Hussein ibn Ali a des régiments à Damas, Homs, Hama, Deraa, et bientôt, «*inch'Allah*», à Rakka, à deux cents kilomètres à l'est de Hama.

Abu Omar, un activiste du quartier qui s'est joint à nous : «Bachar al-Assad n'a pas laissé d'autres options que le conflit armé. Les manifestations, le dialogue, les congrès, rien n'a marché. Ils n'ont répondu qu'avec des balles. Ils ne nous laissent aucun autre choix.»

Commentaire d'Abu Brahim sur le massacre de jeudi : «C'est une forme d'épuration ethnique.»

———

On ressort. La rue des snipers est à vingt mètres de chez Abu Brahim. Il y en a à gauche et à droite. «*Now not shooting. But ready. Not know when shooting*», m'explique Abu Omar en un anglais rudimentaire. Il me montre une

185

camionnette Suzuki criblée d'impacts : «*My friend killed in this car* [1].» Juste ici au carrefour. Pris pour cible parce qu'il transportait des blessés.

Promenade vespérale à travers le quartier. Rues boueuses, rarement asphaltées, avec dans les espaces dégagés d'immenses tas d'ordures en sacs, entassés depuis des mois et crevés. Beaucoup d'immeubles en construction. Quartier populaire, pauvre et prolétaire. Dans les rues, des grappes d'enfants nous suivent en chantant des slogans anti-Bachar. Petit à petit, les gens coupent les oliviers plantés devant les maisons pour se chauffer ; trois gamines, devant une porte, s'escriment à scier un tronc. Aux fenêtres, des filles voilées nous épient en chuchotant. Dans un local aux murs en béton nu, des jeunes jouent au billard. Au fond, une grande avenue à quatre voies devenue une *shari al-maout*, une «rue de la mort». On s'approche du coin prudemment. Des coups de feu claquent régulièrement ; Abu Omar interdit à des jeunes qui veulent passer de l'autre côté de traverser. Jeudi dernier, cinq morts aux différents passages : trois dans la tête, un dans le cou, un à travers la poitrine, de part en part. Dans une rue parallèle, une très longue tige en métal, avec comme deux crocs soudés au bout, traîne par terre : elle sert à récupérer les blessés — et les morts — abattus au milieu de l'avenue. L'appartement d'Abu Omar donne sur l'avenue à l'étage. Les murs côté sniper sont transpercés par des balles explosives, et il a été forcé de déménager à l'étage inférieur, plus protégé. En zoomant à travers l'un des trous, je peux photographier les sacs de sable rouges, au coin d'un grand carrefour, d'où tire le sniper. Sur l'avenue, on voit des grandes

---

1. «Maintenant pas tirer. Mais prêts. Pas savoir quand vont tirer.» Puis : «Mon ami tué dans cette voiture.»

traces noires avec des fils rouillés, des pneus de camions brûlés pour que la fumée couvre les traversées.

Un peu plus loin, dans une autre rue parallèle, on voit des véhicules passer, une famille en camionnette Suzuki, un taxi, une Kia avec des soldats ASL. Ils sont peu visibles dans le quartier : leur présence est faible, et ceux qui sont là ne se montrent pas trop ; le checkpoint ASL près de chez Abu Brahim est déserté. À chaque passage de voiture, le sniper tire, mais toujours deux ou trois secondes trop tard. Un taxi arrive de notre côté : on lui explique, il renonce et fait demi-tour. Devant un magasin de fruits secs et de bonbons où on s'arrête pour acheter des amandes, une foule de jeunes nous entoure. Un très beau jeune garçon, en survêtement bleu, apostrophe Raed : « Ils ont arrêté mon père, ils ont arrêté mon frère, ils ont battu ma mère ! Ils sont venus m'arrêter et, s'ils me trouvent, ils me tueront ! Tout ça parce que je sors et je dis que je n'aime pas Bachar ! » Il tend le cou et pince sa glotte : « Ma seule arme, c'est ma voix. » C'est un meneur de manifestations, il a dix-sept ans, et devant nous il se livre à une démonstration de son art, bras tendu, accompagné d'un petit tambour, lançant des chants que tous les mômes agglutinés autour de nous reprennent en chœur.

Sur le chemin du retour, on passe devant une maison qui affiche, de manière assez incongrue, à côté du drapeau d'une équipe de foot, un drapeau syrien « gouvernemental ». On ne pourra pas le reprocher à son propriétaire : il a été tué par un sniper, voici deux mois. Un peu plus loin c'est un vieux Hajj assis sur une chaise, fumant en compagnie d'un ami, qui nous raconte comment il a été torturé durant vingt et un jours par les *mukhabarat*, frappé, électrocuté, accusé de complicité de terrorisme, lui, un vieil homme malade. À chaque arrêt des gens s'attroupent, essayent de raconter.

Quelques mots sur notre hôte, Abu Brahim. Avant les événements c'était un routier, avec juste un certain savoir religieux ; aujourd'hui c'est une autorité locale, très respectée dans son quartier, qui gère des distributions humanitaires pour Bayada depuis le rez-de-chaussée de son immeuble.

C'est un soufi, un Qadiri de la branche Chadili ; son premier maître était un cheikh tunisien, mort il y a dix ans, puis un cheikh syrien, membre du comité des fatwas de la mosquée des Omeyyades, Mohammed Abu el-Houda el-Yakoubi. Ce cheikh a dû quitter le pays après avoir dénoncé la répression (« C'est péché de tuer les gens ainsi ») et être entré en conflit avec le mufti de Syrie, Ahmad Badreddin Hassoun. « Ce n'est pas le mufti de Syrie, précise Abu Omar. C'est le mufti du régime, le mufti de Bachar. »

Avec son crâne rasé, sa grande barbe dressée sous son menton, et son sourire rusé, Abu Brahim a tout à fait une tête de Tchétchène. La comparaison semble lui plaire.

Comme la Qadiriyya, un ordre soufi fondé par Abdul-Qadir Gilani à Baghdad au XIIᵉ siècle, la Naqshbandiyya est une branche du soufisme, fondée près de Bukhara au XIVᵉ siècle par Bahaudine Naqshband al-Bukhari. J'ai visité sa tombe en 1998, et c'est de cela que je discute ensuite avec Abu Brahim.

Conversation spirituelle sur les Naqshbandi et la tombe de Naqshband. Abu Brahim est d'accord qu'un pèlerinage à la tombe de Naqshband a de la valeur — pas la valeur mécanique d'un demi-pèlerinage à La Mecque, comme disent les Ouzbeks, mais une valeur spirituelle si le pèlerin va à la tombe du saint pour étudier sa pensée et évoluer spirituellement. C'est pareil pour La Mecque : si on s'y déplace comme un objet, comme sa paire de chaussures ou son appareil photo, et qu'on en revient inchangé, ça ne sert à rien.

Il dit qu'il y a beaucoup de Naqshbandi en Syrie. Il y avait un cheikh naqshbandi à Ifrine, Hussein Qorqo, mort il y a quelques années, qui était un ami d'al-Daghestani à Chypre, que je connais de réputation grâce à Micha Roshchin qui avait passé du temps chez lui.

Comment Abu Brahim définit le soufisme : « Être en adéquation entre l'intérieur et l'extérieur de soi, entre le *batin* et le *zhahir*. *Zhahir* c'est l'apparence, la voie exotérique, *batin* c'est l'intérieur ou la voie ésotérique. Ce sont aussi deux des 99 noms de Dieu. »

———

Abu Brahim a aussi dans son ordinateur des vidéos du Belge perdu, Pierre Piccinin. Assis dans ce même salon, l'air largué et un peu effrayé, en train de passer des coups de fil à des amis en Belgique, tous sur répondeur. Cinq heures avant qu'il ne débarque en grosse bagnole américaine neuve, une Ford ou Chevrolet louée à Damas, ne parlant pas un mot d'arabe, il y avait eu une grosse bataille entre l'ASL et l'armée juste là où il est passé. « Cet homme-là, Dieu l'aime beaucoup », dit Abu Brahim. Puis : « On l'a accueilli, on l'a nourri, on l'a hébergé, et on l'a filmé. On lui a dit : "Si tu retournes voir le régime et tu dis qu'on t'a maltraité, on met les vidéos sur YouTube." » Ils étaient convaincus qu'il était envoyé par le régime. Photos de lui ici avec Fadwa Suleiman, l'actrice alaouite.

Raed essaye de l'appeler. Un peu plus tard, monsieur Piccinin rappelle. C'est en fait un universitaire, un professeur de sciences politiques et d'histoire. « Je suis spécialiste du monde arabo-musulman. Je ne parle pas arabe mais on se débrouille très bien avec l'anglais.» Sa ligne : «L'OSDH ne raconte que des bobards, *Le Monde* aussi. Je suis venu là pour voir vraiment ce qui se passe parce que je ne crois pas le discours des médias et des militants. On prétendait qu'il y avait des bombardements et je cherchais le quartier. Mais je n'ai rien vu. J'ai écrit des articles objectifs sur la situation, c'est comme ça que j'ai obtenu mon deuxième visa. Bien sûr j'étais encadré.»

Ça continue un moment dans cette veine jusqu'à ce qu'enfin Raed, excédé, lui lance : «Monsieur, je voudrais vous conseiller de changer de spécialité. Vous parlez anglais, spécialisez-vous dans le monde anglo-saxon.» Il l'engueule assez vertement, le type louvoie : «On ne va pas polémiquer au téléphone», mais bien sûr n'écoute rien. Quand Raed lui parle du massacre et de l'article du *Monde*, il répond : «Mais qui les a tués ?» Pour arriver jusqu'ici, explique Abu Brahim, il est passé devant tous les snipers sans s'apercevoir de rien. En vérité, il y a un dieu pour les crétins de Gembloux.

J'ai ensuite pu jeter un œil sur la production de Pierre Piccinin, sur son blog. Il présente une version des événements en Syrie entièrement conforme à la propagande du régime, minimisant le plus possible les tueries ainsi que l'ampleur du soulèvement. Ni son bref voyage à Homs, sans traducteur et sans aucune connaissance des quartiers ou de la configuration de la ville, ni ses discussions avec Abu Brahim et Fadwa Suleiman, ne lui auront fait changer d'avis.

Dimanche 29 janvier

BAYADA

Matin ensoleillé. Plus de rêves depuis quelques jours. La toux semble s'être un peu calmée après une injection de cortisone faite hier soir par Abu Hamzeh, le médecin.

Abu Hamzeh était un des nombreux invités d'Abu Brahim, auquel nous n'avons pas vraiment prêté attention avant que Raed ne demande à Abu Brahim s'il connaissait des gens qui avaient été témoins de cas de torture : «Lui», avait répondu notre hôte en désignant le médecin. Ce dernier officie dans le petit point de santé clandestin installé au rez-de-chaussée de l'immeuble d'Abu Brahim. Sans matériel ni équipement, il ne peut presque rien faire pour ses patients ; par frustration, il songe à abandonner la médecine et à prendre les armes. «La nuit, m'a-t-il dit, je passe des heures à m'imaginer que je m'embusque avec un fusil et réussis à tuer un des snipers.» Il a accepté que j'enregistre son témoignage, qu'il m'a livré mi en anglais, mi en arabe, avec une traduction de Raed. Je retranscris ici l'entretien d'après les notes de mon carnet plutôt que d'après l'enregistrement.

Interview d'Abu Hamzeh. Chirurgien, travaillait à l'hôpital militaire depuis 2010. Il cherchait à obtenir une nouvelle spécialisation, c'est normal pour un docteur civil. L'hôpital militaire soignait aussi des patients civils : soit en urgence, soit des membres des familles de militaires. Les problèmes ont commencé avec la révolution. Tout d'abord, il a entendu parler de choses étranges dans la salle des urgences. Quand on amenait des manifestants blessés, on les attachait et on leur bandait les yeux. Abu Hamzeh a voulu voir ça de ses propres yeux et il y est allé : c'était bien vrai. La première fois qu'il l'a vu, c'était en avril. Des policiers militaires, avec des infirmiers, menaient des manifestants à une autre pièce. À côté des urgences il y a trois pièces : une pharmacie, une pièce pour les radiographies, et une unité de soins intensifs. Là, les blessés, sans soins, étaient battus, avec des câbles, par ces policiers militaires et ces infirmiers. Les victimes étaient toutes des hommes, parfois des garçons de quatorze, quinze ans, mais pas plus jeunes. Puis ils étaient menés en prison, sans traitement. Plusieurs médecins ont participé à ces sévices, dont il a noté les noms.

Abu Hamzeh m'a fourni certains de ces noms : comme je ne peux pas vérifier l'information, je ne les publie pas.

Quand le médecin-chef de l'hôpital — un alaouite de Tartous, un homme très bien — a entendu parler de ceci, il a donné l'ordre que les patients ne soient pas battus, et qu'on les soigne. C'était peut-être vingt jours après le début des sévices. Le résultat, c'est qu'on les soignait, puis on venait les battre la nuit dans leurs lits.

«J'ai soigné un patient un jour aux urgences. Le lendemain on l'a amené en radiologie, avec un traumatisme crânien qu'il n'avait pas la veille. C'est comme ça que j'ai découvert qu'on lui avait fait quelque chose la nuit. J'ai demandé à un ami, un médecin en radiologie, les détails du cas, et il m'a dit : "Il a une fracture du crâne, et un traumatisme, il est maintenant aux soins intensifs." Deux jours plus tard le patient est mort de ce traumatisme crânien. Il ne serait pas mort des blessures que j'avais soignées le premier jour. Il est mort de la torture.»

Il y avait une salle pour garder les patients après traitement. On y mettait les manifestants, attachés, les yeux bandés, et on bloquait le cathéter qui leur servait pour uriner ; on ne leur donnait que un quart de litre d'eau pour six personnes, un jour sur deux, juste quelques gouttes pour les hydrater. Quand Abu Hamzeh rentrait, les gens suppliaient pour avoir de l'eau. Le cathéter bloqué provoquait des lésions au niveau des reins. «J'ai vu deux personnes tomber dans le coma à cause de ça. L'un d'eux en est mort. Alors j'ai mis une petite caméra dans ma poche et je suis allé les filmer. Je suis entré dans la pièce pour soigner les patients. J'étais avec une infirmière, une sympathisante qui m'a aidé. Il n'y avait aucun antibiotique, pas de sérum, pas de médicaments. J'ai essayé de débloquer les cathéters, mais les sacs d'urine étaient pleins. Je crois qu'ils fermaient les cathéters pour que les sacs n'éclatent pas, car ils ne les changeaient pas. Je les ai vidés et je les ai changés. Quand j'ai changé les pansements, j'ai remarqué un cas de gangrène, et j'en ai informé le département orthopédique, pour que le patient reçoive des antibiotiques. Trois jours plus tard j'ai entendu que ce patient avait été amené en salle d'opération et avait eu sa jambe coupée au-dessus du genou. Il m'était impossible de faire le suivi.

«J'ai filmé des blessures, des traces de tabassage au câble. Il y avait deux outils de torture : un câble électrique et des bandes de caoutchouc renforcées.

« Je suis aussi allé à la prison et j'ai parlé avec trois hommes. J'ai pris leurs noms pour informer leurs familles. L'un avait la jambe cassée, un autre une blessure par balle au bras. Ils m'ont dit qu'ils avaient été battus et torturés en prison. »

———

11 h 45. Interruption brutale. Klaxons. Un blessé arrive. On se rue tous au centre de première urgence en bas. Un homme âgé, la cinquantaine ou la soixantaine, avec une balle au flanc gauche. Bras couvert de tatouages, de belles volutes, pas un tatouage rituel, plutôt un tatouage de prison ? Gestes rapides, précis, efficaces d'Abu Hamzeh. L'homme est conscient et stoïque, il respire lourdement. Abu Hamzeh le palpe, pose des questions. La balle est ressortie, près du bord du flanc. Abu Hamzeh ne sait pas si la balle est passée par le muscle ou l'abdomen. Aucun instrument, il ne peut pas faire d'échographie, ne sait pas s'il y a une hémorragie interne. Si l'abdomen est perforé, c'est sans doute le côlon ascendant. On doit opérer, poser un sac de colostomie, recoudre. Si l'homme n'est pas opéré il peut mourir en deux jours, de péritonite.

Cherchent quelqu'un avec une machine à ultrasons portable pour venir ici. Abu Hamzeh fait des injections antitétanos puis antibiotiques.

L'homme a été snipé à six rues d'ici, depuis l'école Nasser Ali à Bayada. Il était près de chez lui. A fait rentrer ses enfants et a été touché. Un autre homme a été tué, d'une balle dans la poitrine. Le blessé est parfaitement conscient et parle avec Raed. « Heureusement les enfants n'ont pas été touchés. »

Tatouage : *Soumission à ma mère*. D'autres beaux motifs, tous faits main. Cicatrices aussi sur le même bras, des traces d'automutilation au rasoir.

194

Quasiment pas un jour sans un mort ou un blessé, quel que soit le quartier. Je remonte au chaud. Le petit déjeuner est sur le point d'être servi.

11 h 20, on déjeune, nouvelle interruption, un autre blessé. On redescend. C'est le fils du premier blessé, un adolescent d'environ dix-huit, vingt ans, qui s'est pris une balle à travers deux doigts de la main gauche. Ce n'est pas trop sérieux et on remonte déjeuner tandis qu'Abu Hamzeh le panse.

Abu Brahim : « *Wallah*, on a pu constater qu'Israël est moins dur avec les Palestiniens que les gouvernements arabes avec leur propre peuple. Et jamais le gouvernement israélien ne pourrait faire ça à son propre peuple.» Raed n'est pas tout à fait d'accord sur la clémence des Israéliens, surtout en temps de guerre.

Un monsieur âgé se joint à nous. Il habite à Sabil, un quartier mixte sunnite-alaouite, à majorité alaouite. Il parle des menaces qu'ont reçues les habitants sunnites pour les forcer à partir. Certains ont eu leur maison brûlée, d'autres leur voiture. Lui habite à l'angle d'un carrefour, où se trouve un barrage et des snipers sur les toits. On tire sur sa maison tous les jours, il a dû quitter son appartement, trop dangereux, mais est resté dans l'immeuble. Ses voisins ont reçu des menaces, leur ordonnant de partir dans les vingt-quatre heures sous peine d'être tués ou de voir leur maison brûlée. Il habite à environ cent cinquante mètres des alaouites ; tous ceux qui habitent plus près sont déjà partis ; à côté de chez lui, tous les chrétiens ont déménagé. « Ça fait quarante ans qu'on vit avec eux. Ce sont nos frères. Mais ils ont tous dû partir, à cause des tirs permanents.»

Il y a quatre ou cinq mois, quand son frère a été blessé, il est allé voir ses voisins alaouites pour leur rappeler qu'ils étaient voisins avant tout : « Quoi qu'il arrive, que le régime tombe ou tienne, nous resterons voisins, nous continuerons à vivre ensemble. Cessez ces actions militaires contre nous. Cessez de nous tirer dessus. »

Les forces de sécurité armaient les civils alaouites, et certains avaient été vus tirant depuis leurs maisons. « Ils ont promis de ne plus le faire, mais ils n'ont pas tenu parole. » Le voisin venu avec lui a été arrêté et détenu un ou deux mois.

———

13 h. Suite de l'interview d'Abu Hamzeh.

[*On reprend sur les trois prisonniers dans la cellule.*] « L'un avait besoin d'une opération d'urgence pour sa jambe cassée. Ils l'ont laissé trois jours, et l'ont enfin amené à notre département avec une fracture sévère au fémur. L'os était dehors. Il n'était pas comme ça quand je l'ai vu dans la cellule. À la fin il a été opéré par le département orthopédique.

« Dans l'hôpital, une partie du personnel voulait aider ; une autre, le contraire. Par exemple, un médecin qui voulait aider un patient disait aux militaires : "Amenez-le à mon département." Mais les autres créaient de nouvelles blessures, brisaient des os avant de l'amener. »

Même en salle d'opération, les patients ont les yeux bandés. Par contre les *mukhabarat* ne rentrent pas dans la salle d'opération, ils attendent dehors. Dans des cas exceptionnels, les *mukhabarat* nomment un médecin, généralement un médecin militaire, pour surveiller le patient, ou alors refusent qu'il soit soigné.

Un autre cas dont il a été témoin : des *mukhabarat* de l'aviation avaient confisqué deux ambulances, et mis deux de leurs agents dans chaque ambulance, déguisés en infirmiers, mais armés de kalachs. Sont allés au cimetière de Homs. C'était un samedi ; la veille, une douzaine de gars avaient été tués, et ils étaient enterrés ce jour-là. L'armée a commencé à tirer sur les gens amenant les corps à l'enterrement, à partir d'un barrage proche du cimetière. Puis les *mukhabarat* sont venus avec les ambulances, prétendant venir chercher les blessés, ils ont ouvert les portes, ont pris les blessés et les ont amenés à l'hôpital militaire. Là ils ne les ont pas portés aux urgences mais à la prison. C'est une histoire connue, le jour du massacre du cimetière de... (il ne se rappelle plus le nom précis).

Abu Hamzeh a vu les ambulances revenir et amener les blessés directement à la prison. Il a reconnu les *mukhabarat* de l'aviation à leur uniforme particulier et leurs chaussures blanches de sport.

Après cette histoire, on lui a refusé l'accès à la prison et au département de chirurgie, et il n'a plus personnellement vu de cas de torture ou d'abus. Il a travaillé à l'hôpital militaire jusqu'à il y a une vingtaine de jours : « Le matin je devais soigner des militaires, l'après-midi je soignais des révolutionnaires. Je n'en pouvais plus. » Depuis neuf ou dix mois, il venait ici soigner les gens clandestinement. Il ne se sentait pas à l'aise quand il devait soigner un *mukhabarat* ; il ne lui voulait pas de mal, mais ne se sentait pas à l'aise, et il a préféré arrêter. Là-bas, ils ont tout le matériel nécessaire, ici il n'y a rien. Il sent que son devoir est ici. Il a tout quitté, sa maison, sa clinique privée, l'hôpital. Il a démissionné officiellement et ça ne pose pas de problème.

Après, il nous montre les vidéos qu'il a filmées en secret, grâce à un stylo-caméra mis dans la poche extérieure de sa veste. On voit très clairement les blessés, cinq en tout, enchaînés par les pieds au lit, nus sous les draps, les yeux bandés. La caméra filme les instruments de torture, posés sur un meuble : deux bandes de caoutchouc découpées dans des pneus et renforcées avec de la bande adhésive, pour frapper, et un câble électrique avec à un bout une prise à brancher directement au mur, et à l'autre un clip pour fixer sur le doigt, le pied ou le pénis. Plusieurs blessés portent des marques fraîches de torture à la poitrine ; l'un a le torse marbré de coups, rouge vif, comme de la viande crue. Je prends copie des vidéos. On y entend Abu Hamzeh s'indigner tandis qu'il tente de les soigner avec l'infirmière.

Abu Hamzeh est parti après la fin de l'entretien pour voir sa famille dans son bourg d'origine. Il devait revenir deux ou trois jours plus tard, et m'a laissé son numéro de téléphone et son contact Skype, pour que nous puissions nous recontacter. Mais, malgré des tentatives répétées, je n'ai durant des semaines pas réussi à le joindre ni à avoir de ses nouvelles, comme de la plupart des autres personnes rencontrées à Homs. Le lundi 5 mars, la chaîne de télévision britannique Channel 4 a diffusé un reportage sur ses vidéos, affirmant qu'elles avaient été tournées il y a moins de trois mois, et non pas il y a presque un an comme me l'avait expliqué Abu Hamzeh. Ce dernier, filmé par Mani, témoigne dans le reportage, le visage flouté. Tout récemment, j'ai enfin pu le joindre par Skype, dans un pays arabe où il cherchait de l'assistance matérielle pour l'opposition.

—————

À 13 h 45, alors qu'on travaille sur les ordinateurs, on est interrompus par un nouvel arrivage et on redescend. C'est un garçon de dix ans et il est déjà mort, la poitrine traversée de part en part par une balle qui est passée par le cœur. Je caresse ses cheveux noirs et drus ; son teint est déjà cireux. Doucement, le médecin [*ce n'est plus Abu Hamzeh, qui est parti, mais un autre*] lui lie les mains avec de la gaze médicale. Debout à la porte, son cousin, un homme mûr, le regarde en sanglotant et en répétant convulsivement : «*Hamdulillah, hamdulillah, hamdulillah.*» Les soignants soulèvent le petit, qui est torse nu, sa tête tombe en arrière, on le porte dans une salle vide à côté, où on le dépose à même le carrelage froid, sans tapis. Un activiste filme le corps, Raed photographie. Malgré notre présence il a l'air si seul. C'est d'une pitié terrible.

Il s'appelait Taha B. Il a été tué en voiture, et sa sœur a été blessée aussi.

Je me tourne vers Raed. «Tout à l'heure, balance une copie de ta photo au connard de Gembloux, d'accord ?»

Après mon départ, son père arrive. Effondré, il en appelle à Dieu : «Vengeance sur Bachar ! Que ses enfants meurent comme le mien !» Un autre homme lui explique que demander vengeance sur des innocents va contre l'islam. C'est Raed qui me le rapporte plus tard.

Je remonte travailler et boire un café. J'ai à peine bu une gorgée qu'arrive un autre blessé, exactement trente-cinq minutes après le petit, à 14 h 20. Un homme plutôt gras, encore conscient, avec un impact qui a frôlé son crâne et un autre dans la poitrine, dans le bas des deux poumons sans doute. Il est entouré d'amis hystériques, déchaînés, que je dois repousser de force hors de la pièce pour que les médecins puissent travailler. Un homme en particulier sanglote convulsivement et ne veut pas lâcher la main de son ami, qui commente son état : « J'ai mal à la poitrine. J'ai du mal à respirer.» On lui maintient la tête relevée, le médecin s'affaire avec des gestes rapides, les amis ne cessent de forcer l'entrée et je dois de nouveau les repousser. D'autres se pressent à la fenêtre grillagée en criant des questions. Le blessé doit avoir du liquide dans les poumons et on l'évacue à la hâte, dans une cohue folle, vers un taxi qui part en flèche, cale abruptement devant la rue aux snipers, recule, repart sur les chapeaux de roue, passe. Juste après, horrifiés, on voit quelques gamins traverser en courant, puis des jeunes, un soldat ASL avec sa kalach. Une balle claque juste après lui. Raed gueule à Abu Brahim de leur interdire de passer. On rentre. Le médecin nous explique que les quatre qu'on a vus, les trois blessés et l'enfant mort, ont été touchés par le même sniper de la poste. Il donne 20 % de chance de survie au dernier blessé. On remonte travailler. Mon café est froid.

Arrivée d'un petit groupe, un activiste avec deux cinéastes de Damas qui tournent un long-métrage sur la révolution. Je discute avec l'un d'eux, O., qui parle bien le français et encore mieux l'anglais. Il me parle de «*fringe groups*» autour de l'ASL qui commettent des crimes tous les jours, enlèvements, meurtres de civils alaouites. L'ASL est disciplinée et se tient bien ; mais ces groupuscules sont faits de jeunes hommes dont on a tué ou violé des proches, et ils estiment qu'ils ont le droit. Ce qui est bien sûr céder aux provocations du régime. C'est particulier à Homs, ça n'existe pas ailleurs. « Il y a une confrontation religieuse à Homs, c'est indéniable. Des deux côtés, il y a des discussions sérieuses sur le nettoyage ethnique.»

« I'm a secular man from the cultural world. I must be here in this room. If I'm not, then it is a sectarian war. But if it develops better in other cities, then Homs will be contained. If a better version of the revolution prevails elsewhere, it will calm down the sectarianism here. The SNC is too slow for Homs, they are following the speed of the other cities, but Homs is going too fast.

« Homs is the worst place in Syria in terms of balanced clashes. But there are places far more devastated, Idlib for example [1]. *»*

O. continue : L'ASL est intervenue dans toute la périphérie de Damas d'une manière très bien coordonnée et organisée. Offensive soigneusement préparée. La hiérarchie là-bas est stricte, et toutes les *katibas* répondent directement à Riad al-Assaad à Antioche. Ce qui n'est pas le cas des *katibas* ici, qui sont, pour O., une autre ASL, quasi autonome, comme tout à Homs.

Mais il y a des développements positifs, comme ce qu'a fait l'ASL de Khaldiye en invitant Omar Shamsi à venir les former et les commander alors qu'il n'est pas du quartier.

———

16 h 45. Encore un mort, juste à côté. Un homme, tué par le même sniper, toujours celui de la poste. Abu Brahim va

1. « Je suis un homme laïque du monde culturel. Je dois être ici, dans cette pièce. Si je n'y suis pas, alors c'est une guerre sectaire. Mais si ça se développe mieux dans les autres villes, alors Homs sera contenue. Si une meilleure version de la révolution prévaut ailleurs, ça calmera le sectarisme ici. Le CNS est trop lent pour Homs, ils suivent la vitesse des autres villes, mais Homs va trop vite.

« Homs est le pire endroit en Syrie en termes de confrontations équilibrées [*entre l'ASL et l'armée*]. Mais il y a des endroits bien plus dévastés, Idlib par exemple. »

voir s'il peut aider la famille. Il leur a déjà donné de l'argent pour les funérailles, ils n'en avaient pas assez.

Nouvelles des blessés. Les deux sont encore en vie, mais dans un état sérieux. Pour le premier, il avait une hémorragie mais a été opéré ; quant au deuxième, on a pu lui poser un drain aux poumons, mais la Sécurité est arrivée à l'hôpital à ce moment-là et il a dû être évacué en catastrophe.

21 h 20. Abu Brahim revient avec le portable du blessé qui s'était pris la balle dans le poumon, un Nokia transpercé de part en part. La balle a dévié vers le cœur, mais s'est arrêtée à un centimètre, et l'homme est sauvé. La balle à la tête n'a fait que frôler l'os.

———

23 h. Abu Brahim reprend ma question du dîner, sur Dieu et le Mal. Discussion théologique. Ma question : « Comment Dieu peut-il permettre la mort d'un enfant comme celui qu'on a vu aujourd'hui ? Une mort si injuste ? » Il demande mon point de vue, qui est celui d'un incroyant, ce qui est perturbant pour lui : « *Mishkil* [1]. »

Il cite un proverbe : « Les traces indiquent le chemin. » L'agencement de l'univers montre qu'il y a bien une force qui organise tout ça. Puis il enchaîne avec une parabole : « Il y avait un homme qui ne croyait pas en Dieu. Il entendit parler d'un croyant et voulut discuter avec lui. Il aimait beaucoup polémiquer, et avait toujours l'avantage dans la dispute. Il alla donc trouver le musulman, un sage. Ils convinrent d'un rendez-vous à la mosquée de Bagdad, après la prière du vendredi. Bagdad est traversée par le Tigre, tu le sais. Le

1. « Problème. »

non-croyant attendait à la mosquée et le musulman était de l'autre côté du Tigre. Il fut donc retardé. Lorsqu'il arriva, le non-croyant lui dit : "Pourquoi as-tu du retard ?" — "J'étais de l'autre côté du Tigre, et il n'y avait ni pont ni barque. J'ai donc attendu, jusqu'à ce que des morceaux de bois flottant se regroupent pour former une barque qui m'a porté jusqu'ici." — "Quoi, tu veux me faire croire que le bois s'est coupé tout seul ? A formé une barque tout seul ?" — "Et toi ? Tu veux me faire croire que cette mosquée, cette ville, cet univers se sont créés tout seuls ?"»

Et la question du Mal, alors ? «Dieu a des qualités.» Il en nomme un certain nombre, dont la volonté. Dieu a une volonté et la réponse à ma question est liée à cette qualité. Dieu parle, mais sans mots et sans paroles. «De sa volonté, il a voulu créer le bien et le mal. Et il a promu le bien et interdit le vice. Il a aussi voulu le libre arbitre.»

Objection de Raed : «Mais pourquoi vouloir le mal ?» Des rafales de kalachs ponctuent la conversation. Le barrage veut faire peur aux gens, décourager aussi l'ASL d'essayer quelque chose. La conversation reprend mais Abu Brahim revient toujours aux mêmes arguments, qui sont en fait une profession de foi : «C'est comme ça parce que c'est comme ça.» Difficile pour moi de m'en satisfaire, surtout devant un gamin mort sur le carrelage.

Lundi 30 janvier

BAYADA – KHALDIYE

Réveil tôt pour appeler Ibn Pedro au sujet de mon départ. On l'a enfin vers 9 h 30. Il est vague, évasif. «Oui, peut-être, je vais peut-être partir aujourd'hui, je ne sais pas, je vous rappelle.»

Un peu plus tard Marcel, le journaliste allemand, m'appelle. Il est coincé à Kussur, les *mukhabarat* et l'armée se battent dans sa rue avec l'ASL, il y a des tirs sur son appartement. À Baba Amr, pilonnage au tank.

Le cadavre de Taha, le petit d'hier, a été transféré à l'hôpital national. Pour le récupérer, le père doit signer des papiers certifiant qu'il a été tué par un terroriste.

Deux femmes entièrement vêtues de noir viennent nous voir. Leur maison a été brûlée et elles veulent témoigner. Elles habitent le quartier de Sabil. La plus âgée s'étouffe d'émotion en racontant. Là où elles vivent, elles sont entourées d'alaouites d'un côté, de chiites de l'autre. Des hommes sont venus vers 2 h du matin, ont tiré sur la maison, ont jeté une grenade contre la porte, puis un bidon d'essence sur lequel ils ont tiré, mettant le feu à la maison. La moitié de

205

la maison a brûlé avant qu'elles ne parviennent à éteindre l'incendie. Elles n'ont pas vu les hommes mais ils criaient : « On va tous vous dégager d'ici, vous les sunnites ! » Pensent que c'étaient des alaouites appuyés par la Sécurité. La maison de leurs voisins a été attaquée aussi. Il y avait sept familles sunnites dans la rue, toutes sont parties sauf ces deux-là. Ça faisait dix-sept ans qu'elles habitaient là. Abu Brahim va leur trouver un appartement dans le quartier.

Abu Bakr, le copain activiste de Raed, est ici. Il a lavé un mort ce matin et est venu se doucher.

———

Midi. On a eu plusieurs échanges au téléphone avec Marcel. Il est toujours coincé, ça ne cesse de tirer. Un gars avec lui est descendu de l'appartement et a été tué. On ne peut rien faire. Mais Abu Brahim ne pense pas que la Sécurité rentrera dans les immeubles. Trop peur d'une résistance ASL.

On étudie nos options. Ibn Pedro promet un départ demain. Je pousse pour qu'on bouge sur Khaldiye, pour au moins avoir passé l'obstacle des snipers, maintenant qu'ils sont relativement calmes. Impossible de passer de Khaldiye à Safsafi, affrontements entre les deux camps à al-Warsheh. Mais Khaldiye d'après Abu Brahim reste accessible. Il nous cherche un appartement avec de l'électricité et du réseau.

———

13 h. Coup de fil d'Abu Bilal. Une seconde famille massacrée. Ça s'est passé le même jour que l'autre, le jeudi 26, mais ils ont pu accéder aux corps seulement aujourd'hui. Ils ont été amenés à la clinique de Karam al-Zaytun. Il y a

le père, la mère, et quatre enfants, une partie au moins égorgés. On bouge.

14 h. Passage sans problème jusqu'à Khaldiye. C'est Abu Omar qui nous amène, dans une camionnette Suzuki. Ça tire dans les rues par lesquelles on est venus, donc on prend par-derrière, par la grande « avenue de la mort ». Pas de tirs, sur la rue du Caire non plus, des gens traversent à pied. En chemin on passe juste devant un barrage, à vingt mètres, mais celui-ci a conclu une trêve avec l'ASL.
On rejoint Abu Bakr qui va loger avec nous. Attente dans la rue tandis que Raed parle à la BBC. L'air frais fait du bien. Ma toux par contre a repris de plus belle.

On appelle Imad. Baba Amr est bombardé par douze T-72. L'hôpital est plein, quatre morts, quinze blessés. Hier il y avait huit tanks, l'ASL en a détruit quatre ; l'armée a fait venir des renforts, aujourd'hui l'ASL en a détruit encore un. Le bombardement a commencé avant-hier. Tous les morts à Baba Amr sont des civils. Deux tués par des snipers, le reste par les bombardements. L'attaque est du côté de Kfar Aaya, là où il y a la voie ferrée. Du côté de Jaoubar c'est calme. Imad dit que quelqu'un qui connaît peut passer. À voir.

On appelle Hassan. Lui dit vingt tanks depuis hier, et qu'ils sont complètement impuissants, qu'ils n'ont rien pu faire contre eux.

Dehors, ça a repris violemment, après une accalmie, sans doute à Kussur. Marcel est toujours coincé.

———

Vers 17 h, je sors à pied avec Abu Bakr, qui porte une veste militaire par-dessus une longue robe de religieux et qui ressemble de plus en plus, avec sa barbe rousse et ses yeux fulminants, à un combattant tchétchène, et Najah, un jeune activiste, récupérer Marcel qui a enfin réussi à quitter Kussur et se trouve près de la tour-horloge en bois de Khaldiye. Il y a des snipers et il est inquiet. On traverse deux rues en courant, retrouve un de ses copains, puis lui, ses amis nous ramènent en voiture, un beau 4 × 4 noir rapide et confortable. Puis je vais à l'internet café. Abu Adnan est là, en train de surfer sur sa tablette Samsung. Je lui montre les pages du *Monde* en ligne, il en est assez content.

19 h 30. Retour à la maison. Nouvelles du front : Abu Annas, le meneur de la manif de vendredi à Bab Drib, a été grièvement blessé à la poitrine par un obus de BTR. Un de ses amis a été tué. Baba Amr est plus calme.

Discussion avec Marcel, qui va loger avec nous, au sujet de l'aspect religieux du soulèvement, sur lequel il se concentre. Il a rencontré plusieurs cheikhs. Essaye d'éclaircir les dynamiques religieuses. C'est très compliqué, les discours tenus sont louvoyants. Échange d'informations et d'expériences.

Kussur est en fait un quartier tranquille. Marcel n'a pas eu de chance. Les *mukhabarat* ont monté une opération pour attaquer un appartement ASL, qu'ils ont encerclé et pilonné au RPG et à la mitrailleuse. Deux soldats ASL ont été tués dans l'appartement, dont Abu Amar Masarani, le commandant ASL de Kussur. Cinq autres se sont enfuis et ont été snipés dans les rues. Marcel, qui n'était pas loin, au quatrième étage d'un immeuble voisin, a essayé de filmer du balcon, mais ils se sont fait sniper depuis un toit et son ami Muhammad a failli être tué. Marcel est resté coincé huit heures dans l'appartement, jusqu'à ce que les forces de sécurité se retirent.

Marcel parle des Bédouins, qui ont une forte tradition de vengeance du sang, qui kidnappent et tuent dans les quartiers alaouites. « Ils sont complètement hors de contrôle », lui a expliqué un gars, un révolutionnaire effrayé par ces dérives.

Abu Bakr raconte : Trois femmes bédouines ont été kidnappées à Bayada (il y a beaucoup de Bédouins à Bayada) par des *shabbiha*, une mère de quarante ans et ses deux filles de seize et douze ans. Les trois ont été violées, puis rendues au bout d'un mois. Gardées dans un quartier alaouite, pas en prison, près de Sabil selon elles. La famille voulait porter plainte, mais c'est bien sûr impossible ; et même si l'État fonctionnait les Bédouins se vengeraient. Donc les parents des femmes ont enlevé des hommes de la zone où les femmes étaient prisonnières, et ont demandé à leurs familles de leur livrer les violeurs, sous peine de mort pour les captifs. Les violeurs n'ayant pas été livrés, les captifs ont été tués. « C'est ainsi qu'a commencé la *fitna* », conclut Abu Bakr. Il ajoute que, si ça lui arrivait, il ne se vengerait pas ainsi. Pour lui, le Coran interdit la vengeance sur un tiers. Mais les Bédouins sont incontrôlables. Conflit aussi entre eux et les chiites, et même les Iraniens (parce qu'une des filles a dit qu'elle a entendu du persan).

Marcel : Quand les Bédouins ont rejoint l'ASL, ils avaient déjà des armes depuis longtemps ; ils sont très actifs au combat, ont eu beaucoup de martyrs. Ils attrapent des soldats de l'armée en permission et leur donnent le choix : rejoindre l'ASL ou mourir.

Il cite un autre cas de Bayada qui a été cause de vengeances : la première semaine de décembre, une femme bédouine, enceinte de sept mois, s'est penchée par sa porte et a reçu une balle de sniper dans la tête. Sa famille s'est cruellement vengée sur des alaouites.

Marcel est convaincu que le régime veut une guerre civile, et fait tout pour la provoquer.

Mardi 31 janvier

KHALDIYE – BABA AMR

Réveil tôt, petit déjeuner puis traversée de la ville dans un taxi poussif aux vitres embuées, en compagnie de Marcel qui a décidé de venir avec nous. Passons juste devant un checkpoint de la police, des bâtiments gouvernementaux avec des groupes d'officiels devant, puis l'hôtel Safir. Ventre serré mais pas de problème. Baba Amr gris et vide. Retour à l'appartement de Hassan où on réveille Alaa et Ahmad. Ils nous racontent les combats des derniers jours : ils ont détruit deux chars hier, trois la veille, blessé et tué des soldats de l'armée. Aucune perte de leur côté. Il est 9 h 30, Ibn Pedro promet d'arriver dans une heure.

11 h 30. Ibn Pedro n'est toujours pas là. Abu Yazan arrive. Son copain blessé le lundi 23 va bien, *hamdulillah*. D'après lui, il reste dix chars en face. Trois se sont enfuis.

13 h. Toujours personne. Ça s'éternise. Je lis *La Vie de Sylla* et patiente, Mani travaille sur ses photos, et Marcel est parti avec les gars dans les immeubles du front.

Ibn Pedro arrive peu après mais m'ignore assez royalement. Marcel revient. Vers 13 h 30, tirs et détonations, les gars qui patientent ici attrapent leurs armes et filent vers le front pour riposter, Marcel et Raed à leurs trousses.

Abu Yazan et un ami reviennent chercher des grenades à main. Apparemment, il y a eu des tirs de snipers, un des gars a été blessé au mollet.

Va-et-vient. Un gars entre chercher un RPG, prend le lanceur, mais ne trouve pas les roquettes. Abu Jafar arrive avec des caisses de provisions. Ça tire sporadiquement. Ibn Pedro a disparu bien sûr.

14 h 30. Les gars de l'ASL contre-attaquent et les tirs sont intenses. On sort et on court jusqu'au PC de Hassan. Juste quand on arrive, Ibn Pedro part en courant dans l'autre sens, vers l'appartement. Avec Raed on fait demi-tour pour le suivre. Bref échange dans le hall tandis qu'il se prépare à sortir avec une mitrailleuse : «*Bukra sabha inch'Allah*[1].» Il a l'air instable, fuyant, prêt à exploser, on n'insiste pas. Raed repart avec lui vers le PC et la zone d'où continuent les tirs. Je suis crevé et un peu fiévreux, aucun courage pour aller jouer à la guerre aujourd'hui, je reste seul à l'appartement à lire Plutarque, ce qui vaut toujours mieux que de se demander quand je pourrai enfin sortir de cette foutue ville.

15 h 30. Vers l'est, du côté de Kfar Aaya, un bâtiment brûle, bombardé par l'armée apparemment. Gigantesque plume de fumée noire à travers le ciel gris au-dessus de Baba Amr. Les tirs reprennent de plus belle.

Le Chat explique : Ils ont encerclé un immeuble plein de soldats de l'armée. Il doit y avoir quarante hommes, c'est dans la tour en construction à côté de la tour bleue. L'ASL va apporter un haut-parleur pour essayer de les convaincre de changer de camp. On voudrait aller voir, mais ils tirent des mortiers.

1. «Demain matin, si Dieu le veut.»

16 h. On sort et on court au PC de Hassan, qu'on trouve à l'intérieur, affalé dans son canapé, en veste en cuir et en baskets. Les mortiers tombent plus loin mais ils ont reçu des informations d'officiers sympathisants de l'armée que des Grad[1] venant de Damas arrivent aux abords de Homs, avec comme objectif Baba Amr. On décide de se replier vers le centre du quartier. Il est trop tard pour aller en ville. Imad arrive, ainsi que deux grandes marmites pleines de carottes et de courgettes farcies, bouillies, en sauce. Fadi passe avec une tête noire, furibarde : il vient d'apprendre que son cousin a été tué hier. On attend qu'Imad mange pour partir. Un peu plus loin un muezzin ne cesse de brailler *Allahu akbar !* d'une voix particulièrement fausse et éraillée. Un peu plus tôt, par contre, lors d'une brève éclaircie du ciel, quelques rayons de soleil à travers la pluie, le même haut-parleur passait de très belles récitations de sourates coraniques, ponctuées par les rafales et les détonations.

On retourne à l'appartement et je m'endors assez rapidement, tandis que les soldats reviennent au fur et à mesure. Juste avant ça, quelques mortiers tout près. Quand je me réveille, vers 19 h 30, Marcel est en train d'interviewer des soldats avec l'aide de Raed. Je me sens faible, de nouveau fiévreux. J'insiste pour que Raed ait une conversation sérieuse avec Imad sur le cas Ibn Pedro. Raed lui explique enfin qu'il pense qu'Ibn Pedro se fout de notre gueule, et qu'il se comporte avec nous de manière incorrecte. Imad nie, dit qu'il y a réellement des problèmes de sécurité.

1. Système de lance-roquettes multiples, monté sur camion, avec une puissance de feu dévastatrice. Ils seront effectivement déployés et commenceront à bombarder Baba Amr le 4 février.

Discussion un peu houleuse, à laquelle se joint Hassan. Imad promet demain, *inch'Allah*.

Vers 20 h, par manque de place, on nous envoie dormir dans un autre appartement, un peu plus loin, en sous-sol mais encore plus proche du front. Abu Yazan, qui nous y guide, confirme l'information sur les Grad, tout en insistant qu'on est en sécurité ici. «L'armée n'entre jamais dans le quartier de nuit.» Marcel n'est pas très convaincu. Discussion sur la stratégie à suivre : dormir ici ou insister pour qu'on nous trouve une piaule plus au centre du quartier ? Finalement on reste.

Notre nouvel hôte est libanais, il vient du côté de Trablus[1], mais sa mère est syrienne.

1. Tripoli.

Mercredi 1er février

Bien dormi malgré le froid. Rêves : émeutes, armes automatiques, plage, étudiants, péripéties mélangeant ces éléments. Au réveil, vers 9 h, quelques tirs de mortier, un peu plus loin. Notre hôte est parti mais un de ses amis nous prépare le petit déjeuner.

On sort téléphoner, le réseau ne passe plus dans l'appartement. Devant le PC de Hassan, Alaa, Fadi et d'autres gars prennent le thé, sous un auvent nouvellement installé contre la pluie. Il fait plutôt beau. Raed appelle Ibn Pedro : il a des invités, et pas d'heure de départ prévue. Il rappellera. Abu Bilal l'informe de la situation au centre : il y a des combats partout, Safsafi est coupé, c'est vraiment la guerre.

Alaa explique leurs plans pour les soldats encerclés dans l'immeuble : ils vont miner les piliers de la structure, puis leur donner le choix de se rallier à eux, ou ils font tout sauter.

Les mortiers recommencent, un tout près, Raed l'entend siffler. Je lui explique que le sifflement, c'est bon : si tu entends le sifflement, c'est pas pour toi. Il a l'air très moyennement convaincu.

11 h 30. Il pleut maintenant. Toujours aucune nouvelle d'Ibn Pedro. On va à la mosquée, où je reste assis dans un coin, seul, tandis que Raed sort vaquer à ses affaires. Petit à petit, les hommes entrent pour prier.

On passe à l'école [*le siège du Conseil militaire*]. Muhannad n'est pas là. Il y a une journaliste irlandaise, avec Jeddi et Danny, l'air harassé. Jeddi engueule Raed : « Danny, traduis. Je suis énervé avec lui ! Il veut la guerre, la guerre, la guerre. Les questions humanitaires, ça ne l'intéresse pas. » Raed : « Pas besoin de traduire, mon ami. » La fille voudrait partir demain, et je demande de partir avec elle, au cas où.

J'avais croisé Danny Abdul Dayem, un jeune Syro-Britannique de vingt-trois ans, à la clinique d'Abu Bari le jour même de notre arrivée à Homs, et j'avais été frappé par son anglais parfait, chose très rare ici. Lui-même revenait juste de vacances en Angleterre et accueillit positivement ma proposition de venir travailler avec moi. Les jours suivants, il me fut impossible de le retrouver ou même de lui parler au téléphone. On devait plus tard comprendre qu'il avait tout de suite été récupéré par le bureau de l'information, avec lequel nous n'entretenions pas les meilleures relations. Après mon départ, lorsque le bombardement systématique de Baba Amr a débuté, Danny s'est mis à apparaître plusieurs fois par jour sur YouTube, dénonçant en anglais les atrocités filmées par les activistes et appelant à une aide internationale. Le 13 février, alors que les bombardements s'intensifiaient, il a quitté Baba Amr pour se réfugier au Liban. Il a depuis accordé plusieurs entretiens à des chaînes de télévision anglo-saxonnes au sujet des horreurs dont il a été témoin.

13 h. On retrouve Imad devant le PC de Hassan, l'air harassé, je ne sais pas si c'est par nous ou autre chose. Aucun

signe d'Ibn Pedro. «La route n'est pas libre», affirme Imad, fatigué. Je retourne à l'appartement, au moins il fait chaud. Le sentiment d'enfermement se précise. Ça fait cinq jours que j'essaye de sortir, les gars sont fuyants, pas clairs, ça bombarde, Raed est énervé par tout, moi, la situation, son ordinateur qui plante, le réseau passe très mal et on a peu de communications, c'est ce qu'on appelle une situation de merde, j'imagine. Et il n'y a strictement rien à faire.

Visite à la clinique d'Imad, pour chercher Abu Salim. Il n'est pas là. Devant la clinique, des autocollants du Croissant-Rouge arabe syrien, dérisoire protection. Travaux d'installation de la salle d'opération. Rapide passage d'Abderrazzak Tlass, qui vient voir l'état d'avancement des travaux. Plusieurs blessés : un brûlé grave, suite à une explosion de gaz provoquée par un obus de mortier lundi, un homme mitraillé dimanche à un barrage d'Insha'at, un jeune gars au visage brûlé qui s'est pris le retour de flamme d'un mortier tombé au pied de son immeuble, à travers la fenêtre de son appartement, il y a cinq jours. Là, il va mieux, il nous explique tout ça avec son visage couvert de crème, et nous montre une photo de lui prise il y a quelques jours, la tête entièrement enveloppée de pansements. Le blessé par balles est un chauffeur de taxi qui venait de Damas avec un passager et qui a été mitraillé à 4 h du matin par un barrage.

Arrivée du docteur Ali, le martyr vivant. «Hier c'était une hécatombe.» Dix-sept blessés. Bien sûr, personne ne nous a rien dit, rien montré.

Vers 16 h, arrivée d'Abu Hanin, du bureau de l'information, le *maktab el-al'iilami*. Il me prend tout de suite à partie, en anglais. «*I don't even know you*», je réplique.

— «*Yes, but I spoke with him last week*, dit-il en montrant Raed. *He said he'd be back in ten minutes, and you guys disappeared* [1].» L'Irlandaise part dans une demi-heure. Je ne peux pas aller avec elle? «*No, you can't. You guys say you are on your own, fine, you say you can manage, fine, now manage with your people* [2].» Ça part en vrille. Raed intervient et ça commence, mi en anglais, mi en arabe. Abu Hanin: «*You see, we are Arabs. This is how it is with Arabs* [3].» Raed: «Ça n'a rien à voir avec les Arabes. Je suis arabe aussi.» Le gars est grotesque, agressif, incohérent. On sent qu'il nous en veut à mort de les avoir court-circuités. Finalement, il se retourne vers moi: «*Why do you say to him you cannot go because we have a problem? I never said that. You have fresh material, of course it is in our interest that you publish it. If we can help you go out, we will. But we can't. You can't go with the woman* [4].» J'essaye d'arrondir les angles, enfin il donne une explication sensée: «Elle sort dans un camion, voilée, déguisée en femme syrienne, avec des papiers de Syrienne. Tu crois que tu peux sortir comme ça? Tu le crois?» Je fais de mon mieux pour le calmer, atténuer le malentendu, mais il est déchaîné. Finalement, on convient qu'il m'aidera s'il peut.

1. «Je ne te connais même pas. — Oui, mais j'ai parlé avec lui la semaine dernière. Il a dit qu'il revenait dans dix minutes, et vous avez disparu.»
2. «Non, tu ne peux pas. Vous dites que vous travaillez seuls, très bien, vous dites que vous pouvez vous débrouiller, très bien, maintenant débrouille-toi avec tes propres gars.»
3. «Tu vois, on est des Arabes. C'est comme ça avec les Arabes.»
4. «Pourquoi tu lui dis que tu ne peux pas y aller parce que tu as un problème avec moi? Je n'ai jamais dit ça. Tu as des informations fraîches, bien sûr que c'est dans notre intérêt que tu les publies. Si on peut t'aider à sortir, on le fera. Mais là on ne peut pas. Tu ne peux pas sortir avec la femme.»

À l'appartement. Thé, lecture. Quelques hommes dorment ou se reposent. Vers 17 h 30, une série de mortiers, pas loin, vers le cimetière. Hassan arrive avec ses deux petits, tout mignons et timides. Les gars font jouer les enfants avec des pistolets, désarmés mais chargés.

17 h. Un hélicoptère de combat Mi-24 tourne autour du quartier. Les gars sont mécontents de la performance de Juppé au Conseil de sécurité. Ils se mettent à jouer à un jeu vidéo, du foot. Raed a disparu depuis des heures, aucune nouvelle.

Je demande à Alaa de m'amener en moto retrouver Raed. Il ne sait pas où aller mais on va trouver. On louvoie à travers les flaques, enfile une longue avenue tous feux éteints, arrive au deuxième point de santé, celui d'Imad, puis, de là, à la clinique, celle où on était l'après-midi ; là, on nous dirige vers une première maison d'activistes, mais c'est celle où on avait rencontré l'avocat communiste, il y a juste quelques gars, enfin on trouve l'appartement du *maktab*. Raed est bien ici, avec Marcel, en train de travailler sur son ordinateur pour tenter de sauver ses fichiers. Je remercie Alaa qui repart.

Il y a des dizaines d'activistes affalés partout, scotchés à leurs ordinateurs portables, tous sur YouTube ou Facebook ou Twitter. Quelqu'un m'offre un sandwich au poulet-frites et on me prête un Macintosh, des mails enfin, effroyablement lent. La journaliste irlandaise est déjà partie. Abu Hanin me sonde : « Pourquoi vous n'êtes pas venus nous voir ? Pourquoi vous nous avez évités ? » Je réponds diplomatiquement. Quand j'évoque le terme *maktab el-al'iilami*, Abu Hanin nie qu'un tel bureau existe : « On est juste une bande d'amis, c'est tout. » Aux murs, des photos de martyrs. Brève discussion politique, mais ça ne va pas loin.

Nouvelles discussions plus tard. Abu Hanin me dit que, si nos gars peuvent me faire passer l'*autostrada*, les siens peuvent s'occuper du reste. Me promet que, s'il y a moyen, il me fera sortir demain ou samedi. Vendredi c'est pas bon, c'est un jour dangereux à cause des manifestations.

Raed est complètement absorbé par ses problèmes informatiques et fait à peine attention quand je lui parle. Finalement je le laisse là et me fais ramener à l'appartement par un ami du martyr vivant.

Jeudi 2 février

10 h 30. Petit déjeuner de pain, huile d'olive, *zaatar*, olives vertes et thé avec Hassan, Imad et Ahmad. Aucun signe de Raed. Imad m'assure que je pars aujourd'hui, me fait comprendre qu'Ibn Pedro est en train de faire vérifier la route. Personne ne répond au téléphone. On attend. 11 h. Raed arrive. Vague, évasif, crevé après avoir passé la nuit sur son ordinateur, dit à peine bonjour. Parle avec Imad mais ne traduit rien, n'explique rien. Puis part chez le voisin où on avait dormi l'avant-veille. Cinq minutes plus tard, arrivée d'Ibn Pedro. « *Yallah.* » Je veux attendre Raed, mais il refuse : « *Yallah, yallah.* » Je monte dans une voiture où se trouvent déjà deux autres personnes qui sortent aussi. Départ. J'appelle Paris et explique la situation, mais aucun moyen de joindre Raed, qui n'a toujours pas changé sa carte SIM.

Deux réseaux fonctionnent à Homs, Syriatel et MTN. Raed avait un numéro MTN mais, depuis notre retour à Baba Amr, MTN fonctionnait de plus en plus mal ; Syriatel aussi, d'ailleurs, mais mieux que MTN. J'avais ainsi proposé à Raed de passer sur Syriatel, ce qu'il fera un peu plus tard. Quelques jours après,

tous les réseaux de téléphonie portable de Homs ont été coupés.
Au moment où j'écris, ils ne sont toujours pas rétablis.

Passage de l'*autostrada*. Il est 12 h 40. Dans une maison un peu plus loin, les hommes qui sont partis devant nous prient en nous attendant. Malgré son côté difficile et lunatique, Ibn Pedro a un magnifique sourire illuminé, qui s'allume dès la prière achevée.

On se sépare : les deux autres partent d'un côté, moi de l'autre, avec Ibn Pedro et un chauffeur, en petite camionnette Suzuki, directement pour le Liban apparemment. Ibn Pedro a une kalach coincée entre les jambes, le chauffeur est armé aussi, si on tombe sur un barrage volant ça tournera mal. Sur la route, les deux hommes restent scotchés à leurs portables, Ibn Pedro en a trois, le réseau passe très difficilement mais de temps en temps ils reçoivent des informations. Le soleil brille, illumine toute la campagne plate et les flaques boueuses, on alterne entre chemins embourbés et routes fréquentées, en traversant plusieurs villages ; au fond, le Djebel Lubnan barre l'horizon, bleu pâle, une longue frange de nuages blancs accrochés aux crêtes enneigées. Il fait chaud dans l'habitacle, ça cahote, on croise des contrebandiers avec leurs motos chargées de bidons de mazout, des paysans en tracteur, des campements de Bédouins, des champs verts et boueux.

13 h 30. Pause dans un village. À la télévision, Ismaël Haniyeh. Le chauffeur qui a déposé les deux autres nous rejoint, c'est Abu Abdallah, le même homme qui nous avait amenés à Homs. Aucune idée du temps d'attente, on ne me dit rien et de toute façon j'aurais bien du mal à comprendre. Je tente de reprendre la *Comparaison de Lysandre avec*

Sylla, mais on m'apporte le déjeuner, copieux et superbe comme d'habitude, avec des œufs durs et du *foul* en sauce. Après je lis, l'attente se prolonge. Raed appelle enfin et me confirme qu'on passe directement au Liban, *inch'Allah.*

14 h 30. On repart, avec Abu Abdallah. Routes, villages, puis chemin boueux et défoncé, le même qu'à l'aller. On croise des norias de camions et de camionnettes, transportant des marchandises dans l'autre sens. Puis de nouveau une route où on retrouve, à mon immense plaisir, mon vieil ami La Colère et son pick-up pourri. Il m'amène avec Ibn Pedro à Qusayr, à la même maison où nous avions logé à l'aller, celle d'Abu Amar, toujours aussi accueillant et chaleureux. Mayte [*Carrasco, une amie journaliste espagnole, qui travaille pour TV Cinco*] est en ville, La Colère m'amène là où elle loge avec ses collègues, et je leur explique rapidement la situation. Ça fait cinq jours qu'ils sont à Qusayr, ils attendent toujours pour entrer en ville. Est-ce qu'Ibn Pedro pourrait les amener? Je retourne à la maison d'Abu Amar avec l'activiste qui les épaule, un gars de Qusayr qui parle un peu anglais. Réponse d'Ibn Pedro : Je les amènerai si Abu Hanin me le demande. Mais Abu Hanin n'est pas joignable. *Bukra sabha, inch'Allah.*

La Colère reçoit un coup de fil : la voie est libre. À 16 h 30 on part, de nouveau tassés à trois, avec Ibn Pedro, dans la cabine du pick-up. La kalach est toujours là, mais d'abord on va la déposer à la ferme où on avait cherché à rencontrer le commandant, à l'aller ; par contre, La Colère garde sa grenade, qu'il brandit devant moi en rigolant. On passe aussi à une autre maison dont il ressort avec une pochette pleine de dollars, des billets de cent, les fameux «Ben Franklins», et des liasses de livres syriennes, ainsi qu'une boîte de dattes fondantes, exquises. Le voyage jusqu'à la frontière prend une heure, les mêmes routes qu'à l'aller. Le soleil tombe derrière le Djebel, les flaques dans la boue brillent comme des miroirs jaune pâle, le ciel pâlit, tout est bleu et brun et vert. Embouteillages de camions de toutes tailles à un checkpoint ASL, les camionnettes s'embourbent, les hommes poussent. La Colère et Ibn Pedro discutent, je ne sais pas de quoi. Puis enfin une route, La Colère pousse son pick-up à 100-120 km/h, c'est encore plus effrayant que la possibilité d'un barrage volant. Détour pour passer par une maison où des liasses épaisses de livres syriennes reposent à côté de la *sobia*. «*Bukra Lubnan*, me dit l'hôte, un homme obèse, avec un grand sourire, *lyoma hon.*» Moi, déconfit : «Quoi, *fi mishkil ? Lyoma mafi Lubnan* [1] *?*» La Colère rigole : «*Yallah, yallah.*» En fait l'homme voulait juste m'offrir l'hospitalité, comme ça se fait. Heureusement ce ne sont pas des Géorgiens, il n'insiste pas. Au départ, dans la cabine, Ibn Pedro fourre des liasses dans un sac plastique, les mêmes que celles qui étaient près de la *sobia* je pense. La Colère fonce par les routes, la nuit tombe, il dépasse les autres véhicules sans ralentir, passe en trombe à travers un village, louvoyant entre les motos et les passants dans l'obscurité. Enfin, dans un autre village, une maison, la même qu'à l'aller, avec le même hôte. Brève attente, les motos viennent nous chercher. Avec la nuit est venu le froid, je gèle sur la moto qui cahote entre les flaques tous feux éteints, le chauffeur se guide à la lumière de la lune. Au-dessus les étoiles brillent, je reconnais Orion, les Pléiades. Passage. De jeunes soldats se chauffent et rigolent dans une cahute, la moto cale, pas de problème.

---

1. «Liban, demain. Aujourd'hui tu restes ici. — Il y a un problème ? On ne va pas au Liban aujourd'hui ?»

Autre maison : dehors, devant un brasier, je me chauffe les mains, seul un moment, c'est un beau réconfort. Après on me fait entrer dans la pièce d'invités de la maison. Il y a un vieux monsieur avec un bébé sur les genoux, à qui je donne des pastilles contre la toux et, fait rarissime, une dame qui se met à invoquer Allah quand j'explique que j'ai deux enfants. Puis c'est le départ. Ibn Pedro a disparu, et La Colère, avec qui je fais une photo souvenir, ne vient pas. On fait nos adieux et La Colère me place dans une camionnette pick-up chargée de je ne sais quoi, avec deux paysans, un petit maigre à moustache et un gros, en indiquant « Beyrouth, Beyrouth » avec un grand sourire. *Davai*, Beyrouth, il semble qu'à partir d'ici c'est simple. En fait ça va être les Pieds Nickelés, sans doute le plus mauvais moment du passage. Un kilomètre plus loin, on me fait signe de sortir du véhicule, avec le gros : on arrive à un checkpoint de l'armée libanaise, il faut le contourner. Le gros prend mon sac et on commence à avancer à travers des champs labourés, la boue est collante mais heureusement pas trop molle. Très vite, je me rends compte qu'on avance en plein dans la lumière blanche du spot du checkpoint, mon ombre s'étale à travers les labours sur une dizaine de mètres, ils doivent nous voir aussi bien qu'en plein jour et pourraient nous tirer comme des lapins. Ils ne tirent pas, on sort peu à peu du champ du spot, mais le gros se met à courir, je suis comme je peux, on doit faire plus d'un demi-kilomètre comme ça, des chiens aboient autour du checkpoint, au loin je vois le pick-up, qui de son côté a passé le checkpoint, arrêté tous feux éteints. Juste à ce moment-là un véhicule arrive sur la route, on court et je saute dans le pick-up avec le gros, juste à temps. C'est

225

un camion civil, si ç'avait été un véhicule de l'armée on était foutus.

On part, rejoint la grande route là où on avait retrouvé les motos à l'aller, et on fonce, aussi vite que le tacot poussif le permet, ce qui n'est pas mal. Puis enfin on arrive devant un gros checkpoint, le poste frontière apparemment. Les gars se garent juste à côté, le long d'une autre camionnette, et on sort. Il y a une boutique louche devant le checkpoint, à droite, avec un homme impassible en keffieh planté devant. Je suis le paysan à moustache dedans et le regarde échanger quelques paroles avec le tenancier. Puis je ressors, toujours sous le regard de l'homme au keffieh. Le gros m'attrape, me traîne à côté de la boutique, et me fait signe de faire semblant de pisser. Je fais semblant de pisser. Quand il se retourne, je me retourne aussi. Devant le checkpoint, un homme massif aux cheveux ras et en blouson de cuir, qui sort juste d'une jeep à l'aspect militaire, m'apostrophe en arabe. C'est visiblement un officier, même s'il n'est pas en uniforme. Je le regarde, hausse les épaules, et me dirige vers le pick-up. À côté de moi, le gros lui fait un sourire niais. On monte dans le pick-up et on démarre. Le militaire s'est déjà désintéressé de nous et se dirige vers la boutique. On fait demi-tour et on repart à toute allure sur la grande route. Je regarde, mais les militaires ne nous suivent pas. Par précaution, j'efface les photos souvenir de La Colère. Après quelques kilomètres, enfin, on tourne sur un chemin de terre à droite de la route. Je me demande bien pourquoi on ne l'a pas pris d'emblée. Cahots, on contourne le checkpoint, entre dans le bled par le haut, devant une grande église moderne, puis on retrouve la route et on continue. Un peu plus loin on passe un autre checkpoint, mais c'est un barrage normal de l'armée, on passe sans encombre.

Plus loin, les deux paysans arrêtent un minivan et me fourrent dedans : « Taxi, taxi, Beyrouth. » Long voyage par Baalbek, des passagers montent et descendent. À Chtaura, avant la montée, on embarque une jeune femme qui s'assoit devant : la première femme en cheveux que je vois depuis dix-huit jours, Mayte mise à part. Dans la montée, arrêt à un supermarché, l'assistant du chauffeur et un de ses potes achètent du vin et m'en offrent dans un godet en plastique : gras, râpeux, mauvais, c'est divin. Le col est enneigé et très beau dans la nuit. Puis c'est la longue descente vers Beyrouth.

Tentative d'arnaque à l'arrivée, quand je me fais déposer à un rond-point, ils veulent 100 dollars, je m'en tire à 50, *fuck it*. Taxi, un vieux monsieur qui parle anglais avec l'accent ouest-africain et qui a vécu trente ans au Liberia, il a connu feu Samuel Doe — « *He was just a lieutenant, not even a captain, he was a nice guy. Yes, he died really bad. They dragged him all through town.* » — et Charles Taylor, qui lui doit encore 50 dollars. Incrédule, j'éclate de rire : « *Charlie Taylor owes you fifty dollars ?* » [1] Il rigole quand je lui suggère d'écrire à La Haye pour les réclamer. Il me laisse au Le Rouge, à Hamra. Jameson et cigarillo au bar en attendant L. Mes bottes sont encore couvertes de la boue des routes et des champs, je ne me suis pas changé depuis dimanche et je fais complètement tache dans ce restaurant chic, c'est tout à fait surréel après le petit déjeuner à Baba

---

1. « C'était juste un lieutenant, même pas un capitaine, c'était un gars sympa. Oui, il est mort salement. Ils l'ont traîné à travers toute la ville. » — « Charlie Taylor vous doit cinquante dollars ? »

Amr avec Hassan, Imad et Ahmad. Je prends le vol Air France de 2 heures du matin, directement après le repas, sans même me doucher, et achève de rédiger ces notes en attendant le décollage. Déjà, depuis des heures, tout ça devient du récit.

C'est seulement après que j'ai écrit tout ça, et que j'ai quitté la Syrie, que les choses à Homs ont vraiment commencé à partir en vrille. Moi, je pensais que ce que j'avais vu était assez violent, et je croyais savoir ce que violent veut dire. Mais je me suis trompé. Car le pire ne faisait que commencer, ce qui fait que j'ai honte, aujourd'hui, en les relisant, de certains passages, ceux par exemple où je rapporte nos querelles idiotes avec les activistes de Baba Amr, querelles qui ont eu lieu et qui avaient leur sens (et c'est pourquoi je ne censure pas ces passages), mais qui prennent une tout autre signification à la lumière de ce qui allait suivre, et du comportement ultérieur des intéressés, Jeddi et Abu Hanin pour n'en nommer que deux, à qui plusieurs journalistes occidentaux doivent la vie.

Je résume : le soir du 3 février, le lendemain de mon départ, plusieurs obus se sont abattus sur le quartier de Khaldiye, tout près de la place des Hommes Libres. Ils étaient espacés, et ont tous frappé plus ou moins au même endroit, ce qui ne peut pas être une coïncidence. Conséquence, les gens qui s'étaient rués pour secourir les victimes du ou des premiers obus (dont, je l'ai déjà noté, Mazhar Tayara, alias Omar le Syrien) ont été tués ou grièvement blessés à leur tour. Les téléphones marchaient encore et j'ai appelé Mani, qui se trouvait toujours à Baba Amr. J'aurais voulu connaître le sort de pas mal de gens — Abu Adnan, Abu Bakr, Najah (ils ont survécu, à cet épisode-là du moins), le coiffeur de la place, Abu Yasser le pâtissier, le mécanicien et ses amis, les deux vendeurs de kebabs — mais je lui ai seulement demandé de se renseigner pour une personne : Mahmud, le petit gamin de dix ans qui, lors des manifestations, dansait en chantant les slogans sur les épaules des grands. Mani n'a jamais rien pu me dire sur lui. Bien d'autres gens étaient déjà morts, alors. Le samedi 4, l'armée a intensifié son pilonnage sur Baba Amr, et le 6 ou le 7, je ne suis pas tout à fait sûr, le réseau téléphonique a définitivement été coupé. Mani se trouvait à ce moment-là dans le centre-ville et, avec la direction du Monde, *on a un peu perdu sa trace, jusqu'à ce qu'il sorte de Homs à son tour, le 11 février. Mon amie Mayte Carrasco, elle, était entrée à Baba Amr avec ses deux collègues, et elle a vécu plusieurs jours de bombardement avant de ressortir avec eux, ainsi que Paul Wood de la BBC, par le fameux tunnel dont on a beaucoup parlé par la suite, mais qui à ce moment-là était encore le secret des secrets (je précise, car mon texte reste délibérément vague à ce sujet, que je ne suis pas moi-même sorti par le tunnel), puis de passer encore trois semaines à Qusayr.*

Quasiment tous les contacts que nous pouvions avoir avec les activistes ont été coupés à ce moment-là, sauf avec les deux groupes qui disposaient d'un système satellitaire BGAN, les activistes de Khaldiye et ceux de Baba Amr. J'ai ainsi perdu toute trace d'Abu Brahim, le cheikh de Bayada, et du médecin Abu Hamzeh qui travaillait à ses côtés, ainsi que des activistes de Safsafi, Omar Telaoui, Abu Bilal, et les autres. Après la sortie de Mani, nous n'avons plus eu de nouvelles des activistes de Khaldiye. J'ai pu avoir des contacts sporadiques, via Skype, la plupart du temps par chat, avec Abu Hanin et un autre activiste de Baba Amr qui change si souvent de pseudo que je ne peux plus être sûr de qui il s'agit (c'est un des jeunes rencontrés chez le docteur Ali le soir du 22 janvier, mais lequel ?). Tous les jours, sur YouTube, apparaissaient des vidéos plus immondes les unes que les autres, commentées, jusqu'à son évacuation au Liban, par le Syro-Britannique Danny Dayem, ensuite très souvent par un jeune médecin — ou plutôt sans doute un étudiant en médecine, je ne suis pas certain — que j'avais croisé à plusieurs reprises mais qui n'apparaît pas dans ces carnets, le docteur Mohammed al-Mohammed. Une chose était évidente, le pilonnage du quartier s'intensifiait quotidiennement (on savait peu de choses sur les autres quartiers, mais ça ne semblait pas être mieux), et le nombre de victimes civiles allait croissant. Que ceux qui n'ont pas trop de problèmes pour dormir prennent le temps de regarder quelques-unes de ces vidéos, je les y invite.

Baba Amr, en effet, a cette particularité, que j'avais remarquée mais à laquelle je n'avais pas donné sur le coup toute son importance, d'avoir été bâti à la hâte et semi-légalement, par des gens rejetés aux marges de Homs et disposant de peu de moyens, et pour qui donc le creusement d'une cave, lors de la construction de leur petit immeuble, relevait du superflu. Une cave, c'est très utile, pour ranger des vieux meubles ou stocker des patates et des oignons, mais on peut s'en passer, quand on ne jette jamais ses meubles et que son stock de patates et d'oignons tient facilement dans la cuisine. C'est tout autre chose quand une armée moderne, équipée de chars d'assaut, de roquettes de type *Grad*, et de mortiers de calibres divers allant jusqu'au 240 mm, arme jamais déployée dans un conflit contemporain, hormis la Tchétchénie, pilonne votre quartier rue par rue, maison par maison, de manière raisonnée et systématique, vingt-sept jours durant. *Je cite ici le photographe britannique Paul Conroy, qui a survécu par miracle (et grâce à l'aide des activistes de Baba Amr) aux dernières de ces journées : «Ils vivent dans des ruines entièrement bombardées, des enfants six dans un lit, des pièces pleines de gens qui attendent de mourir.» Et beaucoup sont morts, tandis qu'ailleurs ça discutait.*

Car en effet ça discutait ferme. L'offensive des forces de Bachar al-Assad avait débuté, comme par hasard, le lendemain du vote au Conseil de sécurité des Nations unies sur une résolution pourtant assez molle, fondée sur le plan de paix de la Ligue arabe, mais à laquelle la Russie et la Chine ont résolument opposé leur veto. Peu soucieuses de répéter l'aventure libyenne, même lorsqu'il s'avérait que le massacre, tant craint à Benghazi, était à Homs effectivement en cours, les diplomaties américaines et européennes s'empêtraient dans des palabres assez ridicules sur des «couloirs humanitaires» ou des propositions de cet acabit. Leurs confrères arabes, qatari ou saoudiens, commençaient à murmurer qu'une intervention plus musclée pourrait être envisageable, notamment par le biais de transferts d'armes à l'ASL, mais personne ne les écoutait. C'est à ce moment que, passablement excédé, j'ai proposé dans le dernier de mes articles du Monde *qu'on se taise et qu'on abandonne les Syriens à leur sort. Hélas, c'est ce qu'on a fait.*

L'épopée des journalistes occidentaux tués ou blessés à Baba Amr a braqué le projecteur sur ce qui se déroulait là, et en même temps en a paradoxalement détourné l'attention. D'un côté, on ne pouvait plus dire qu'on ne savait pas exactement ce qui s'y passait ; de l'autre, on pouvait remplir les journaux télévisés et les colonnes des quotidiens d'hommages (plus que mérités) à Marie Colvin et Rémi Ochlik, tués le 22 février dans un bombardement ciblé, à la roquette, de la maison du « bureau de l'information », puis concentrer toute l'attention des diplomaties et des médias sur le sauvetage des journalistes blessés dans la même attaque, Édith Bouvier et Paul Conroy, ainsi que des deux autres qui avaient choisi de rester avec eux plutôt que d'évacuer par le tunnel, Javier Espinosa et William Daniels. Je n'ai pas les mots pour parler de leur courage, ni du cauchemar qu'ils ont vécu jusqu'à ce qu'ils parviennent les uns après les autres à rejoindre le Liban, une semaine plus tard. Mais je constate aussi que, à de rares exceptions près, aucun média occidental n'a parlé des activistes et journalistes syriens qui se trouvaient avec eux, sauf à la fin, quand treize « militants » non identifiés ont été tués durant l'exfiltration catastrophique des blessés.

Sortis de Homs, ces journalistes, eux, n'ont pas manqué de rendre hommage à ceux qui les avaient aidés, ni de parler avec des mots très justes et très durs du carnage qui se déroulait dans l'indifférence quasi générale. Oui, certains de nos dirigeants l'ont violemment condamné ; n'empêche, ils ont laissé faire. On me dira qu'ils n'avaient pas le choix. Je répondrai qu'on l'a toujours, comme l'avaient ceux qui en Syrie se sont soulevés contre Bachar al-Assad et son régime putride et sclérosé, et à terme condamné.

J'ai peu de nouvelles des Syriens devenus, en quelques jours, nos amis. Il semblerait que la plupart des activistes *de l'information et du personnel médical de Baba Amr (dont Abu Hanin et Mohammed al-Mohammed) ont pu évacuer avec les débris de l'ASL, juste avant la chute définitive du quartier, le vendredi 2 mars, à l'exception de Jeddi, qui a choisi de rester ; le 1er avril, ce dernier, dont le vrai nom est Ali Othman, a été arrêté à Alep, et serait depuis soumis aux pires tortures. Les activistes de Safsafi, Khaldiye et Bayada — Omar Telaoui, Abu Bilal, Abu Bakr, Abu Brahim — sont, d'après des contacts que Mani a pu avoir, encore en vie, même si leur situation reste très difficile. Fadi, Alaa, Abu Yazan, Ahmad et tous les autres combattants de l'ASL qui apparaissent dans ces carnets doivent être morts ou pire, ou peut-être pas, mais je ne le saurai vraisemblablement jamais. De beaucoup de ceux que j'ai nommés ici, par leur prénom, une initiale, ou un nom qu'ils s'étaient choisi pour se lancer dans cette aventure, il ne restera sans doute rien au-delà de ces notes, et de leur souvenir dans l'esprit de ceux qui les ont connus et aimés : tous ces jeunes gars de Homs, souriants et pleins de vie et de courage, et pour qui la mort, ou une blessure atroce, ou la ruine, la déchéance et la torture étaient peu de chose à côté du bonheur inouï d'avoir rejeté la chape de plomb pesant depuis quarante ans sur les épaules de leurs pères.*

Paris, le 11 avril 2012

APPENDICES

TABLE DES RANGS

FRANÇAIS	TRANSLITTÉRATION	ARABE
Maréchal	*Muchir*	مشير
Général de corps d'armée	*Fariq awwal*	فريق اول
Général de division	*Fariq*	فريق
1er Imad	*Imad awwal*	عماد أول
Imad	*Imad*	عماد
Général de brigade	*Liwa*	لواء
—	*Amid*	عميد
Colonel	*Aqid*	عقيد
Lieutenant-colonel	*Muqaddam*	مقدم
Commandant	*Raïd*	رائد
Capitaine	*Naqib*	نقيب
Lieutenant	*Mulazim awwal*	ملازم أول
Sous-lieutenant	*Mulazim*	ملازم
Sergent	*Raqib*	رقيب
Caporal	*Arif*	عريف

Source : Human Rights Watch

Homs et la frontière

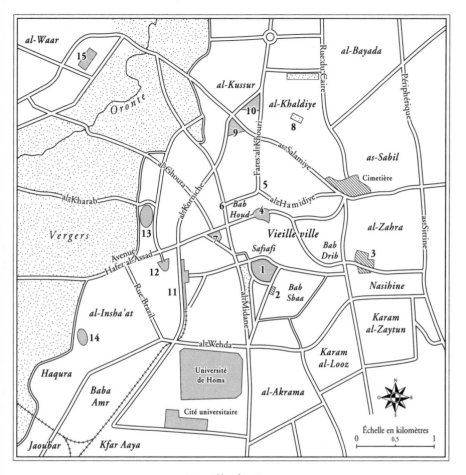

La ville de Homs

1. Citadelle de Homs
2. Cimetière de Bab Sbaa
3. Cimetière de Bab Drib
4. Souk
5. Vieille horloge
6. Centre-ville (nouvelle horloge)
7. Mosquée ad-Droubi
8. Place des Hommes Libres (Khaldiye)

9. Hôpital national
10. Gare routière
11. Gare de Homs
12. Safir Hotel
13. Stade Khaled ibn Walid
14. Stade al-Bassel
15. Hôpital militaire

TABLE

Note liminaire 9

Lundi 16 janvier. *Tripoli, Liban* 13
Mardi 17 janvier. *Tripoli – frontière – al-Qusayr* 17
Mercredi 18 janvier. *Al-Qusayr* 31
Jeudi 19 janvier. *Al-Qusayr – Baba Amr* 43
Vendredi 20 janvier. *Baba Amr* 65
Samedi 21 janvier. *Baba Amr* 81
Dimanche 22 janvier. *Baba Amr* 99
Lundi 23 janvier. *Baba Amr* 113
Mardi 24 janvier. *Baba Amr – Khaldiye – Bayada* 125
Mercredi 25 janvier. *Bayada – Safsafi – Bab Sbaa – Safsafi* 139
Jeudi 26 janvier. *Safsafi – Bab Drib – Karam al-Zaytun – Bab Tedmor – Safsafi* 155
Vendredi 27 janvier. *Safsafi – Bab Drib – Safsafi* 171
Samedi 28 janvier. *Safsafi – Baba Amr – Khaldiye – Bayada* 179

Dimanche 29 janvier. *Bayada*   191

Lundi 30 janvier. *Bayada – Khaldiye*   205

Mardi 31 janvier. *Khaldiye – Baba Amr*   211

Mercredi 1ᵉʳ février. *Baba Amr*   215

Jeudi 2 février. *Baba Amr – Al-Qusayr – frontière – Beyrouth*   221

Épilogue   229

APPENDICES

Table des rangs   237

Homs et la frontière   238

La ville de Homs   239